草薙 龍瞬
Ryushun Kusanagi

反応しない練習

あらゆる悩みが消えていく
ブッダの超・合理的な「考え方」

KADOKAWA

はじめに

◆どんな悩みも解決できるシンプルな〝考え方〟がある

生きていると、いろんなことがあります。「人生、ラクではないな」と実感することも、一度や二度ではないはずです。

でも、そんな日頃の思いを上手に乗り越えていける「方法」があります。

実は、すべての悩みは〝たった一つのこと〟から始まっています。そこさえわかれば、あとは**「正しく考える」ことで、どんな悩みも必ず解消できる**——それが、この本があなたに一番伝えたいことです。

そもそも、私たちが日頃抱える〝悩み〟とは、どんなものでしょうか？

・いつも生活に追われていて、心に余裕がない。
・今の仕事に満足していない。先のことを考えると、不安になる。

・イヤなこと、不運なできごと、失敗が重なって、落ち込んでいる。
・性格が合わない相手がいる。人間関係で、ストレスを感じている。

一見どれも、自分ひとりでは解決できない、時間のかかる問題に思えるかもしれません。

でも、実際には……そうでもありません。

というのは、これらの悩みは、どれも〝心の反応〟から始まっているからです。

「心の反応」と言われて、ピンとくる人は、どれくらいいるでしょうか。実は、私たちの日常は「心の反応」で作られているといっても、過言ではないのです。

たとえば、朝の通勤ラッシュで「今日も混んでいるな」とゲンナリする。これは、心を憂鬱にさせる反応です。心ない相手の態度にイラッとする。これは、怒りを生む反応です。大事な場面で「失敗するかもしれない」と、マイナスの想像をしてしまう。これは、不安や緊張を生み出す反応です。人と会うときも、仕事をしているときも、外を歩いているときも——心は、いつも反応しています。

その結果として、日頃のイライラや、落ち込みや、先ゆきへの不安やプレッシャー、「失敗してしまった」という苦い後悔などの〝悩み〟が生まれます。

ということは、悩みの始まりには、きまって〝心の反応〟があるのです。心がつい動いてしまうこと——それが悩みを作り出している〝たった一つのこと〟なのです。
だとすれば、すべての悩みを根本的に解決できる方法があります。それは——〝**ムダな反応をしない**〟ことです。

想像してみてください、ムダな反応をしなくなれば、人生、どれほどラクになることか。動揺しない、落ち込まない、腹が立たない、プレッシャーを感じない、人前に出ても緊張しない、過去を振り返って後悔しない、先のことに不安を感じない——これこそ〝人生の救い〟ではありませんか。心が軽くなります。その分、きっと幸せが近づいてきます。

勘違いされやすいのですが、反応しないことは、無理してガマンすることや、無視すること、無関心でいることではありません。悩みを増やしてしまうようなムダな反応を〝最初からしない〟こと。怒りや、不安や、「どうせ自分なんて」と暗い気分が出てきたら、すばやくリセット・解消することです。

余計な反応をしてしまうことで、どれだけ手痛い失敗、悩みを抱えてきたことか……。
ここから「ムダに反応しない」生き方を、目指してみようではありませんか。

「反応しない練習」を教えてくれるのは、古代インドの賢者〝目覚めた人〟ブッダです。

もともと、**ブッダの教えとは「心のムダな反応を止めることで、いっさいの悩み・苦しみを抜ける方法」**のことです。その内容は大きく二つ――①心の反応を見ること、②合理的に考えること、です。

「心の反応を見る」（①）とは、おなじみの「座禅」や、最近よく聞くマインドフルネスやヴィパッサナー瞑想のこと。面白いことに、心の反応・心の動きをよく見れば、ザワついた心は静かになります。これは、ストレス解消、気分転換にもってこいの方法です。ぜひ第一章をお読みください。

また「合理的に考える」（②）とは、目的がかなうよう、筋を通して考えること。この本での私たちの目的は、「ムダに反応しない」「悩みを増やさない」ことです。そのために、

・余計なことを判断しない。どんなときも、自分を否定しない［第2章］
・不満やストレスといった「マイナスの感情」で苦しまない［第3章］
・他人の視線を気にせずに、自分らしく生きる［第4章］
・勝ち負けや優劣にこだわってしまう性格を、もうやめる［第5章］

・心から納得のいく人生を、ここから目指す［最終章］

という誰にとっても大切なテーマを、ブッダの教えにてらして、考えていきます。

この本の特色は、こうした悩みを解消する「ブッダの考え方」を〝原始仏教〟に学ぶことです。原始仏教とは、二五〇〇年以上前のインドでブッダが説いていた、最も古い教えのこと。智慧《ちえ》に富んだブッダの名言をわかりやすく翻訳し、豊富に紹介しています。

原始仏教には、多くの人が「仏教」という言葉から連想するような〝宗教〟的な内容とはまったく異なる、**実用的で、合理的な、現代にも使える「考え方」**があふれています。その部分をぜひ、あなたの日常に活かしてほしいと願っています。

もう、悩む必要はありません。ブッダに習って、ぜひ「どんな日常にあっても、いたずらに反応しない」「悩みを正しく考えて解決する」毎日を目指しましょう。

それが、私たちの人生に、安らぎ、満足、幸福をもたらしてくれる、もっとも大切な心がけなのです。ここから始めましょう。

草薙《くさなぎ》 龍瞬《りゅうしゅん》

目次

第4章　他人の目から「自由になる」

第5章「正しく」競争する

最終章　考える「基準」を持つ

編集協力　岩下賢作
装丁　萩原弦一郎（デジカル）
カバー写真　ⒸLmuotoilu/ailead/amanaimages

第1章

反応する前に「まず、理解する」

悩みをなくそうとしない。「理解」する

人生に「悩み」はつきもの、と世間ではよく言います。しかし、「悩みの正体」がわかっている人は、意外と少ないものです。

漠然とした満たされなさ、「このままでいいのだろうか」という思いはあっても、「悩みの正体」がわからないから、なかなか解決できません。仕事でも、家族の中でも、くやしさや、怒りや、失望、落ち込み、不安といった思いを抱えても、解決できる「考え方」を知らないから、いつまでも満たされなさは続きます。

ブッダの考え方は、私たちが日頃抱えている「悩み」を「理解する」ことから始まります。①「悩みがある」⇒②「悩みには理由がある」⇒③「悩みには解決策がある」と、順を追って「理解」していくことで、**どんな悩みも確実に解決できるというのが、ブッダの合理的な考え方**です。

◆「悩みを理解する」だけで一歩踏み出せる

まずは、私たちの日頃の心境（胸のうち）を振り返ってみましょう。

・仕事が思い通りにいかない。やりがいがない。
・人との付き合い方で、苦労している。
・いつまでも吹っ切れない、重たい過去がある。
・自分をうまく伝えられず、ストレスを感じてしまう。
・この先どう生きていけばいいのか、漠然とした不安がある。

ほかにも、思わぬ事故や災難にあってしまった、病気にかかってしまった、子育てや家族関係のトラブルを抱えているなど、人それぞれに抱えているものがあります。

ブッダは、私たち人間が生涯で体験するこうした悩みを、「八つの苦しみ」として表現しました。

道を生きる者よ、生きること（①）は苦しみなのだ。老いること（②）、病にかかること（③）、死（④）は、苦しみである。

厭わしい者と出会うこと（⑤）、愛する人と別れなければならないこと（⑥）も、苦しみである。

求めるものを得られないこと（⑦）、ままならない人間の心（⑧）もまた、苦しみである。

――ブッダ最初の説法　マハーヴァッガより

ブッダが語った「苦しみ」とは、古代インドの言葉で「ドゥッカ」（Dukkha）と言います。「困難・妨害」（ドゥ：Du）と「埋められない虚空《こくう》」（カ：Kha）という意味を併せもつ言葉です。「生きることは、決してラクではない」という実感が伝わってくるようです。

ブッダの考え方の特色は、「人生には悩み・問題がつきものなのだ」という現実を、最初に受け入れてしまうところにあります。私たちが日々感じている満たされなさ、生きづらさ、憂鬱といった思いを「ある」と認めてしまうこと。そのいさぎよさ、合理性が、仏教の特徴です。

人によっては、「現実を受け入れることは、つらい」と思うかもしれません。でも、そうではありません。「受け入れる」のではなく、「ある」ものを「ある」と理解するだけです。「わたしには悩みがある。未解決の問題がある」と、はっきり自覚します。「でも、きっと解決できる」と考えます。その「方法」が、これから学ぶ「ブッダの考え方」です。

私たちはこれまで、「漠然と悩んでいる」状態を生きてきました。満たされなさをはっきり自覚できなかったから、いつまでも「気が晴れない」状態が続いてきたのです。

でも、「満たされなさがある」「悩みがある」と理解してしまえば、「では、どうすれば解決できるか」と、思考を一歩前に進めることができます。

「ある」ものは「ある」と、まず理解すること。わたしには満たされなさ・未解決の悩みがある、と自覚すること。

解決への希望は、そこから始まります。

◆ものごとを解決できる「明快な処方箋」

「悩みがある」と理解したら、次に考えるのは「この悩みの正体（原因）は、一体何だろう？」という点です。

ブッダは、悩み・問題の解決の手順を、次の四つにシンプルにまとめています。

> 生きることには〝苦しみ〟が伴う。
> 苦しみには〝原因〟がある。
> 苦しみは〝取り除くことができる〟。
> 苦しみを取り除く〝方法〟がある。
>
> ――サルナートでの五比丘への開示　サンユッタ・ニカーヤ

仏教の世界では、これを〝四つの真理〟（四聖諦《ししょうたい》）と呼んでいます。一見すれば明らかですが、これは「何かを信じれば救われる」という宗教ではありません。「こう考えれば、悩み・苦しみを抜け出せる」という、シンプルな「思考法」です。

ブッダの考え方とは、悩みがあるという**〝現実〟を見すえて、その〝原因〟を理解して、解決への〝方法〟を実践しようという、最先端の医学にも似た明快な処方箋**なのです。

◆仕事・人間関係の悩みの「正体」って？

では、悩み・苦しみの〝原因〟は、一体何でしょうか？

仏教の世界では、「苦しみの原因は〝執着〟にある」と、よく語られます。執着とは、手放せない心。どうしてもしがみついてしまう、こだわってしまう、怒りや、後悔や、欲望といった思いの数々のことです。

ただ、実際に〝執着〟を手放す修行法――世間では「座禅」とか「ヴィパッサナー瞑想」と呼ばれています――を振り返ってみると、もう少し「深い原因」が見えてきます。

人はなぜ、悩み、執着を手放せないのか。なぜ日頃、さまざまな問題を抱えてしまうのか。そうした悩ましい現実を作り出しているのは、**〝心の反応〟**であることが、明らかになってくるのです。

たしかに、私たちは、日々の仕事・生活のなかで「反応」しています。何かを考える。イヤなことがあって、つい腹を立てる。思い通りにいかない現実に、焦ってしまう。他人の目を感じて「何か悪いことをしてしまったのかも」と疑ったり不安になったりする……

これらは、すべて「心の反応」です。

では、この「心の反応」は、何をもたらしているでしょうか。ついカッとなった怒りをぶつけて、人間関係を壊してしまう。大事な場面で、つい緊張してしまって、能力を出せずに失敗してしまう。忌まわしい過去をつい思い出して、「あのときああしていれば」と苦い後悔に沈んでしまう。つい考えすぎて「やっぱり自分はダメな人間だ」と落ち込んでしまう……これらも、全部「反応」です。

〝執着〟以前に、悩みを作り出しているものがあるのです。それが〝心の反応〟です。

「ああ、その通りだ。わたしはいつも、反応している。その結果がうまくいかなくて、悩んでいるのだ」と、あなたはきっと頷《うなず》くことでしょう。人間なら、誰でも思い当たるはずです。「反応」こそが、悩みの正体です。心の反応こそが、人生のトラブル、悩みを惹き起こしているのです。

となると、私たちが日々心がけなければいけないことは、一つです。

「ムダな反応をしない」ことです。

◆二五〇〇年前の智慧が「目の前の問題」に効く

人は悩みに直面したときに、つい反応して「闘おう」としてしまいます。不愉快な相手、ままならない現実に真っ向から向き合って、反応して、なんとか変えてみせよう、打ち勝ってみせようと、もがき、あがきます。

しかし真相は、「闘って勝てる」ことは、人生には、ほとんどありません。あなたが、どんな地位や権力や財産を手に入れても、あなたが今以上に「強く」なっても、「ままならない現実」は、いつもそばにありつづけるでしょう。二五〇〇年前にブッダが語った「人生には苦しみが伴う」という現実は、永久の真理です。この現実は、「闘う」という発想だけでは、けして乗り越えることはできません。

新しい生き方、もっと合理的な考え方が必要とされているのです。

その合理的な考え方の一つが、「ムダな反応をしない」という心がけです。

「わかるけど、どうやって？」と思うことでしょう。ブッダはたくさんの方法を教えてくれています。これから明らかにしていきます。

その問題の「理由」に着目する

すべての悩みは「心の反応」から始まっている――それが一歩目の理解でした。ではなぜ、そのような反応をしてしまうのでしょうか。

「イヤなことがあって腹が立った」という場合、その怒りの反応の理由は明らかですね。「イヤなこと」です。

でも人生には、「なぜ自分がこんな反応をしてしまうのか、わからない」ことも、けっこうあります。人によっては、占い、カウンセリング、人生相談などを通して、さまざまな「理由」を探し回るのでしょうが、ブッダの智慧《ちえ》を使うと、一気にナゾが氷解することがあります。

たとえば、あなたが次のような悩みを抱えているとしましょう――。

最近、周りの人にイラ立つことが増えてきた。身近な人のやることなすことが、やたら目についてしようがない。家族のことは昔から気に入らなかったが、最近は職場の同僚や友人にも、不満が募ってきた。正直かなりのストレス・欲求不満が溜まっている。一体、どうすれば解決できるのだろう――。

周囲に相談すると、こんな言葉が返ってきます。

「気持ちはわかるけど、もっとラクに生きていいのでは？」

「ないものねだりは、カラダに毒。ほかに楽しいことを考えようよ」

たしかにその通りだと思うものの、あなたはどうもすっきりしません。日常に戻るとふたたび、「なぜかわからないけど、腹が立つ」状態に戻ってしまいます。さて、どう考えればよいのでしょうか。

ブッダが「激流」と表した人生のリアル

こうした、とらえどころのない悩みにも、たしかな解決策があります。それは、「反応を作り出している真の理由」にまで、さかのぼって考えることです。

人間が抱える不満や物足りなさの「理由」について、ブッダはこう語っています。

> 苦しみが何ゆえに起こるのかを、理解するがよい。
> 苦しみをもたらしているものは、快（喜び）を求めてやまない〝求める心〟なのだ。
>
> ——初転法輪経　サンユッタ・ニカーヤ

ブッダが発見した〝求める心〟tanhā《タンハー》とは、いわば「反応しつづける心のエネルギー」のこと。人の心の底に、生きている間ずっと流れている意識のことです。

〝求める心〟は、発生後〝七つの欲求〟に枝分かれします。現代心理学の知識を借りると、七つの欲求とは、①生存欲（生きたい）、②睡眠欲（眠りたい）、③食欲（食べたい）、④性欲（交わりたい）、⑤怠惰欲（ラクをしたい）、⑥感楽欲（音やビジュアルなど感覚の快楽を味わいたい）、そして、⑦承認欲（認められたい）です。

たしかに、これらの欲求は、私たちの心の中にありますね。ということは、人間の人生は、次のように理解することができます。

①まず〝求める心〟があり、②それが〝七つの欲求〟を生み出し、③その欲求に突き動

かされて、人は反応する。④ときには欲求を満たす喜びが、⑤ときには欲求がかなわない不満が生まれる。そういうサイクルを繰り返しているのが、人間の人生である――。

こうして〝求める心〟が作り出す、喜び、悲しみ、失望、不満にみちた人生を、ブッダは、氾濫するインドの河になぞらえて「激流」「奔流《ほんりゅう》」と言い表しました。私たちの日常を、よく喩《たと》えているのではないでしょうか。

〝求める心〟が、輪廻の洪水――満たされなさの繰り返し――を作っている。
さまざまな欲求が、奔流となって、この身を突き動かしている。
人間は、越えがたい欲望の汚泥に埋まっている。

――スッタニパータ〈戦いの手〉の節

「満たされない心」と、どう折り合うか

〝求める心〟のことを、仏教の世界では「渇愛《かつあい》」と表現してきました。

「求めつづけて、いつまでも渇いている、満たされない心」のことです。たしかにこれは、

私たちの実感としてありますね。

大切なのは、「心とは、そもそもそういうものだ」と理解しておくことです。心とは求めつづけるもの。それゆえに渇きつづけるもの――。

もし、その実感を受け入れないで〝求める心〟を真《ま》に受けて（反応して）しまえば、心は満たされなさに駆られて、次から次へと「人生の変化」を求めつづけます。「最近ムナしいな、昔はもっと楽しかったのに」とやたら過去を振り返ったり、「こんな仕事、やってられるか」と転職を繰り返したり。浮気やクスリといったアブナイ刺激に走ったり、「自分はこんなものではない」なんて、ふんぞり返って超傲慢になってしまうかもしれません。

たしかに、求めることで見えてくる「次の可能性」もあるでしょう。ただブッダが教えるのは、「求めても満たされるとは限らないのが、心である」「反応してもしようがない（空回りするだけで意味がない）」という理解です。

「そんな夢のない理解なんて、つまらない」と感じる人もいるかもしれません。ただ、**「心は求めつづけるもの」と理解すると、不思議な心境の変化が訪れる**ことがあります。

つまり、「このままではいけない」「何かが足りない」という得体のしれない欠落感や焦り、心の渇きが収《おさ》まって、「人生はそういうもの」と、もっと大きな肯定が可能になるのです。

「それに、一体、何の意味があるのだ」

先ほど出てきた「周囲への物足りなさ」という悩みについて〝七つの欲求〟にさかのぼって考えてみましょう。その不満は、どの欲求から来ているのでしょうか。

現代の私たちにとって最も切実なテーマは〝承認欲〟――「認められたい（認めてほしい）」という欲求です。これは人間だけにある欲求で、動物にはないのだそうです。

承認欲は、子どもの頃は「親に愛されたい」という素朴な欲求として現れます。成長すると、「ほめられたい」とか「優等生でいたい」「人気者になりたい」といった自意識に育ちます。大人になれば、「人に尊敬されるような仕事や地位を」「スキルを磨いてキャリアアップを」といった上昇欲や、「自分は他人より優れている」という優越感やプライド、逆に「自分はダメな人間だ」といった負い目や劣等感にもなります。

こうした思いを作っているのは、「自分を認めてほしい」――注目してほしい・評価してほしい・愛してほしい――という承認欲です。この欲求で外の世界に反応すると、「周りは期待に応えてくれない人間ばかり」だから、不満や物足りなさを感じます。人間も世の中も「なっていない！」と憤慨したりします。

つまり、「他人の小さなことが目について、不満を感じてしまう」という悩みの正体は、「もっと自分を認めてほしい！」という承認欲だったりするのです。

人によっては、幼い頃のさみしさから、その思いは続いているのかもしれませんね。

ブッダの考え方の基本は、「まず、理解する」ことです。実際に、こうやってみましょう。

「そうか、わたしには満たされていない承認欲があるのだ」

「この不満は、承認欲の不満なのだ」

――「承認欲」を「欲」「欲望」「欲求」などに置き換えても、かまいません。

このように、繰り返し、言葉で、客観的に理解するように努めます。すると、反応が静まっていきます。

後の章で出てきますが、「承認欲」は、人の目が気になってしまう性格や、嫉妬心、比較して優劣や勝ち負けにこだわってしまう心理など、さまざまな悩みの原因になっています。「この反応の理由は承認欲だ」と理解しないと、つい反応して、人の目を気にして、嫉妬に駆られ、較べたり、競争したりして、舞い上がったり、落ち込んだりと、動揺しまくりの人生を繰り返すことになります。

「ある」ものは「ある」と、まず理解することが、一番正しい心がけなのです。

「わたしには承認欲があるのだ」と、素直に受け入れてしまう。不思議なことに、それだけで、あれほどの不満――それまでの憤懣《ふんまん》、物足りなさ、さみしさ――が収まっていくことがあります。承認欲という、**それまでの「心の渇きの正体」がわかるだけで、その不満状態から抜けてしまう**のです。

承認欲という「反応の原因」がわかれば、ずいぶんラクになります。「でも、あの人（家族・世間）に認められたところで、それが一体なんなのだ？」と、超クールに考えられるようにもなります（ほんとに、それが一体何だというのでしょう）。

◆実例——「苦悩」が「希望」に変わった日

悩みの理由がわからないと、苦悩はいつまでも続きます。逆に、悩みの理由を正しく理解できると、「悩み」は「解決できる課題」——希望——に変わります。

苦悩しつづける人生を「希望」へと変えた、印象的なエピソードを紹介しましょう。

そのご婦人は、私と出会ったとき、七十代の終わりに差しかかっていました。長年同居していた四十代の長男が、家庭内暴力が高じて、母親であるご婦人を家から追い出してしまいました。内側からカギを掛けて、誰も中に入れなくなりました。ご婦人は、人生の最晩年に「ホームレス」になってしまったのです。

幸いに生活保護がおりたので、小さなアパートに転がりこみました。その部屋に私が出向いたのは、夏の盛りの午後。ご婦人は「今日答えが見つからなければ、ここで首を吊《つ》って死にます」と言い切りました。

ご婦人は、ゆっくりと過去の道のりを語っていきました。見えてきたのは、母親に対する積年の恨《うら》みでした。七人兄弟のうち、なぜか自分だけが学校に行かせてもらえず、母親奉公を強《し》いられた。結婚して子ども二人を授かったときも、「あなたの仕事は家の面倒を見ること」と命じられ、子どもは親戚の元へ送られた。だからご婦人は、自分の子どもの幼少時代を知りません。そのため長い間「あなたを母親だと思っていない」と、子どもたちに言われつづけていたといいます。

母親の最初の記憶は、「六歳だった自分が入院したとき」のこと。窓からずっと、母が来るのを待っていた。母が病院の前までやってきた――なのに、そのまま歩いて行ってしまった。どうして来てくれないの？――それが母親への最初の思い出だといいます。

ご婦人は、細おもての上品そうな顔立ちで、深い悩みを抱えているようには見えません。しかし長い間、子どもたちとの埋まらない距離や、年ごとに暴力的になる息子との付き合い方に苦労しつづけていました。何より苦しいのは、なぜこんな状況になってしまったのか、自分のどこに理由があるのかが、見えないことにありました。

ご婦人の心は、自分が母親となり、年齢を重ねたあとも、ずっと「お母さん」のほうを向いていたのでしょう。心の底に、母親へのさまざまな思い、さみしさ、満たされなさを抱えて、それでもずっと母親の愛情を求めて生きてきたことが、見えてきました。

子どもたちにとって「遠い人」だった本当の理由も、見えた気がしました。

部屋はすっかり暗くなっていました。「こんなわたしですが、これから乗り越えていけるでしょうか」と聞きます。もちろん乗り越えられます。「どうすればいいですか？」と訊ねてきます。

正しく理解することです――と答えました。正しい理解こそが、人生の苦悩を解く一番強力な〝智慧〟なのです。今日一日で、ご婦人の長年の苦しみの理由が理解できました。あとは、過去の思いを、今日一日に感じる思いを、毎日見えてくるがままに、よく見ること。そして、将来を信頼すること。それだけで大丈夫です、とお伝えしました。

そのとき、ご婦人は力強く宣言したのです。

「わかりました。これからは、自分の心を正しく理解するようにします。そして、この苦しみを乗り越えることを、人生のテーマにします」

部屋の明かりをつけたとき、ご婦人はすっかり生気を取り戻していました。目の光が違いました。自分の心を理解したことで、苦しみから完全に抜け出したのです。人が「仏になる」瞬間《ま》を目の当たりにした思いでした。

ご婦人は後日、まずは老人ホームに出向いて「ボランティアをしたい」と申し出ました。

自分が世話になるのではなく、介護の手伝いをしようというのです。ブッダが教える「慈しみ」――人々の幸せを願う心――の実践をしようと考えたのでした。

さらに、近所の散歩道で緑の世話をしているシニアの男性に声をかけ、手伝うことにしました。やがて地元の幼稚園児たちと親しくなって、草刈りを一緒にやるようになりました。「今が人生で一番幸せです」と、今も電話で楽しそうに報告してくれます。

もし人に「生まれ変わる」ことがあるとしたら、それは「苦悩しつづける人生」から「希望に満ちた人生」へと変わることだと思います。

「正しく理解する」力が、それを可能にしてくれます。

人は、苦しみの正体について、正しく理解すべきである。
苦しみの原因を断つべきである。苦しみのない境地にたどり着くべきである。
その方法をこそ実践すべきである。
私は確信するに至った――もはや苦しみに戻ることはないと。

――ブッダ最初の説法　マハーヴァッガ

心の状態を「きちんと見る」だけで

反応せずに、まず理解する——これが、悩みを解決する秘訣です。特に「心の状態を見る」という習慣を持つことで、日頃のストレスや怒り、落ち込みや心配などの「ムダな反応」をおさえることが可能になります。

では、「心の状態を見る」とはどういうことか。ここではその方法を三つ紹介します。

①言葉で確認する。②感覚を意識する。③分類する——いずれも、ムダな反応を静める絶大な効果を持っているので、ぜひ実践してください。

①ココロの状態を言葉で確認する

これは、心の状態を「言葉で確認する」方法です。たとえば、苦手な人の前で緊張してしまったら、「わたしは緊張している」と確認します。長時間テレビやインターネットで遊んでしまったときは、「アタマが混乱していて落ち着かない」「心がざわついている」と客観的に確認します。「目をつむって」確認してみると、心が落ち着きます。

仕事中でも、家族といるときも、「今、自分の心は、どんな状態だろう?」と意識するようにします。「疲れを感じているな」「気力が落ちているな」「イライラしているな」「考えがまとまらないな」というように、客観的に確認します。

「言葉で確認する」ことを、仏教の世界では「ラベリング」(ラベル貼り)と呼ぶことがあります。心の状態にぺたりと「名前」を貼って、客観的に理解してしまうのです。

このラベリングを、日常の動作にも、同じようにやってください。掃除をしているときには、「わたしは今、掃除をしている」。食器を洗っているときは、「食器を洗っている」。歩いているときは「今、歩いている」。パソコンで作業しているときは「作業している」と、ありのままに言葉で確認します。

こうして、心の状態、体の動作を、客観的に言葉で確かめる習慣を身につけるのです。実践していくと見えてきますが、言葉で確認すると、「反応から抜け出せる」のです。反応から抜けると、心は落ち着きを取り戻します。

「言葉で確認する」作業は、メンタルヘルスの基本として、お勧めできます。

②カラダの感覚を意識する

もう一つは、「感覚を意識する」という方法です。これは、ストレスや疲れが溜まった心をリフレッシュする、抜群の効果があります。

まず、目を閉じて、自分の手を見つめてください。暗闇のなかに「手の感覚」がありますね。その手を見つめながら上に挙げてください。「動く感覚」があります。このとき、「手の感覚がある」「手の感覚が動いている」と意識します。手を肩のあたりまで挙げて、元の場所まで下ろします。その間、目をつむったまま、手の感覚を見つめます。

今度は、手のひらを上に向けた状態で、脚の上に置きます。そこで手を握ったり、開いたりしてみます。「手を握ると、このような感覚が生まれる」「手を開くと、このような感覚が生まれる」と確認します。これも、しばらくやってみます。

椅子から立ち上がってみましょう。カラダの感覚を見つめながら、立ち上がります。歩くときは、動く足の感覚、特に足の裏の感覚を見つめながら、歩きます。

「カラダの感覚を見つめる」ように心がけていると、「感覚を意識する」「よく感じ取る」ことの意味が、わかってくると思います。

同じ要領で、呼吸しながら「お腹のふくらみ、縮み」や、「鼻先を出入りする空気の感覚」を感じ取るようにします。

こうして、日頃動かしているカラダの「感覚」を、よく意識しながら感じ取るようにするのです。

これらの二つの方法――①言葉で確認する、②感覚を意識する――は、ブッダが生きていた時代には、「サティ」（sati）と呼ばれていました。禅の世界では「念じる」、瞑想の世界では「マインドフルネス」と呼ばれています。

心の状態をよく見ること、意識すること。そのことで、ムダな反応は止まり、心は静まり、深い落ち着きと集中が可能になります。

③アタマの中を分類する

これは、心の状態をいくつかの種類に分けて理解する方法です。「言葉で確認する」のと似ていますが、もう少しおおざっぱに、観念的に理解するところに特徴があります。基本は、（１）貪欲《とんよく》、（２）怒り、（３）妄想、の三つに分類することです。

（１）貪欲――これは、過剰な欲求に駆られている状態です。平たくいえば、求めすぎ、期待しすぎ。焦りや、人間関係をめぐる不満は、たいていが、この「求めすぎる心」から来ています。

自分に、他人に「求めすぎていないか」を、つねに気をつける習慣をつけたいものです。貪欲に支配されると、自分自身が苦しいし、関わる相手も必ず不幸にしてしまいます。

貪欲に駆られて求めすぎる人間は、本来力のなかった煩悩《ぼんのう》に負けて、さまざまな苦悩を背負い込む。あたかも自ら打ち破った舟の穴から、水が浸入してくるように。

——スッタニパータ〈欲望〉の節

(2) 怒り——これは、不満・不快を感じている状態です。イライラしている、機嫌が悪い、ストレスを感じているときは、「これは怒りの状態だ」と理解するようにしましょう。

もともと〝求める心〟に始まる人間の人生には、「怒り」が潜在的につきまとっているものです。「よくわからないけど、どこか不満を感じている」人は、かなり多いはずです。

でも、そうした毎日は、やはり幸せとはいえませんよね。だから、「わたしは怒りを感じている。でもこの怒りは〝求める心〟が作り出している、あまり根拠のない怒りである」と正しく理解して、心を静めるように心がけましょう。

「明らかに怒りがある」人は、要注意です。怒りっぽい性格の人。何かを失った「悲しみ」を抱えている人（悲しみも怒りの一種です）。過去への未練や、後悔、挫折感を引きずっている人。自己嫌悪やコンプレックスなどの心の重荷を背負っている人――。

こうした怒りを放っておくのは、「もったいない」（人生を損している）と考えましょう。

というのは、怒りは「理解する」という心の習慣によって解消できるからです。

逆に放っておくと、怒りは徐々に蓄積されていきます。怒りっぽさや、欲求不満、気難しい性格となって、年を取るほどに外に現れてきます。

心の状態をよく見て、怒りがあることを感じたら、「怒りがある」と理解しましょう。

そうやって、怒りを「洗い流して」いけば、心はすっきりと軽くなっていくものです。


よく注意して、落ち着きを保っている人は、怒りによって、行いが、言葉が、思いがざわつくことを、よく防いでいる。かくして、心の自由をよく保っている。

――ダンマパダ〈怒り〉の章

（3）妄想——これは、想像したり、考えたり、思い出したりと、アタマのなかでぼんやりと何かを考えている状態です。「あれこれと、つい余計なことを考えてしまう」「落ち着いて物事に取り組めない」という悩みの理由は、「妄想」にあります。

◆妄想を「上手にリセットする」方法がある

「妄想」を上手に解消する方法を考えてみましょう。

「妄想」こそは、人間が最も得意で、大好きで、ほぼ一日中絶え間なく繰り広げている、ナンバーワンの煩悩《ぼんのう》です。楽しい妄想だけならよいですが、仕事や家事に「追われている（あれもこれもやらなきゃ）」と感じたり、「この先どうなるのだろう」と不意に不安に駆られたり、悲しい過去を振り返って落ち込んでしまったりという心境もまた「妄想」から来ています。「ムダな妄想はリセットする」ことが一番です。

妄想をリセットする基本は、「今、妄想している」と客観的に言葉で確認することです。これは先ほど紹介した「ラベリング」です。仏教の瞑想本にも、そう書いてあります。

ただ実践してみると、これがけっこう難しいのです。というのも、妄想は「無意識のうちにハマってしまっている」ものだからです。たいていは、妄想していたことに「後で」気づきます。これは、座禅修行に勤めるお坊さんたちも、みんな実感していることです。

本書では一歩踏み込んで、妄想を抜ける秘訣を「本邦初公開」しましょう。それは、「妄想している状態」と「妄想以外の状態」とを区別することです。

たとえば今、目を閉じてみます。目の前に見える暗がりに、何かを思い浮かべてください。今朝食べたものや、テレビで見た映像など、なんでも想像してみてください。

次に、目をぱっちりと開いて、前を見ます。部屋の中や外の景色を、よく見つめてください。そして、「ああ、これが見えているという状態（網膜が光を感知している状態、視覚）なのだ」と意識します。

このとき、さっきまで脳裏に浮かんでいた映像は、存在しませんね。**「さっき見ていたものは、妄想である」「今見ているのは、視覚（光）である」**と、はっきり意識してください。

こうして、妄想と、それ以外の状態とを見分けられることが大事なのです。「妄想」対「視覚」、「妄想」vs.「カラダの感覚」です。

そして、妄想とはまったく別種の「カラダの感覚」に意識を向けます。呼吸しているときの「鼻先を空気が出入りする感覚」または「お腹がふくらんでいる・縮んでいる感覚」を意識します。

こうして、「妄想」と「感覚」の違いを意識しながら、「感覚のほうに意識を集中させる」練習を積んでいくと、「妄想から抜ける」ことが上手になっていきます。

◆歩きながら「心を掃除できる」習慣

「カラダの感覚を意識する」という発想さえあれば、スポーツでも、ヨガでも、山登りでも、ラジオ体操でも、「カラダを使う」ことなら、なんでも活用できます。

お勧めしたいのは、自宅から職場への行き帰りの「道の途中」や「電車の中」です。

歩いているときは、「右、左」とアタマの中で言葉で確認しながら、足裏の感覚を感じ取るようにします。電車の中で立っているときには、鼻先を出入りする空気の感覚や、お腹のふくらみ・縮みの感覚を、「吸っている、吐いている」と、言葉を使いながら感じ取るようにします。

今は「歩きスマホ」が問題になっていますが、正直あれは「テキトーに反応している」だけなので、「つい反応」「つい妄想」という心のクセを強化してしまうはずです。「テキトーな反応」だけだと、ぼんやり感や虚《むな》しさが増えていくのではないでしょうか。

もしあなたが、これ以上悩みを増やしたくない、充実感を大事にしたいと願うなら、テキトーな反応、妄想を減らすことです。そのために「カラダの感覚を意識する」ことを習慣にしてください。

悩みはいつも「心の内側」に生じます。だから、悩みを抜けるには、「心の外」にあるカラダの感覚に意識を向けることがベストの方法なのです。

これを何か月か、続けてみてください。アタマがかなりクリアに、シャープに、そして心がすっきりと軽くなっていることに気づいて、うれしくなるはずです。

◆三大煩悩――実は超便利な「ツール」だった？

ここまで紹介したブッダの考え方をまとめると、「反応する前に、まず理解する」ということになります。

○悩みの原因は、〝心の反応〟である。
○〝心の反応〟の背景には〝求める心〟や〝七つの欲求〟（特に承認欲）がある。
○心の状態をよく理解するには——①言葉で確認する、②感覚を意識する、③貪欲・怒り・妄想の三つに分類する。

こうした理解によって、苦しみを作り出しているムダな反応を解消していくのです。

人がなぜいつまでも悩みを抜けられないかといえば、「自分の心が見えない」からです。たとえば、あなたが心に「モヤモヤ」を抱えているとします。もし「心の状態を見る」という発想を知らないと、その霧が晴れない状態はいつまでも続きます。

そこでブッダに倣《なら》って、心に「貪欲」「怒り」「妄想」の、どれが存在するのか、観察してみます。「欲が働いている」「怒りを感じている」「これは妄想である」という具合です（たいてい三つともあったりします）。

それだけでも「モヤモヤ」は晴れていったりします。そのときあなたが実践しているのが、本来の仏教——「心を浄化する修行」なのです。

ちなみに「貪欲」「怒り」「妄想」は、伝統的には、貪《とん》・瞋《じん》・癡《ち》の「三毒《さんどく》」と呼ばれ、

「人間の三大煩悩」とされています。

今に伝わる仏教は、こうした煩悩を「戒《いまし》めなさい」と説きます。しかしブッダが生きていた当時、これらは**「心の状態を理解するためのツール（方法）」**だったのです。

〝ブッダ〟とは、「正しい理解をきわめた人」という意味です。「目覚めた人」「覚者《かくしゃ》」とも呼ばれています。

ここは仏教に興味がない人にも大切なポイントになるのでお伝えしておきますが、「正しい理解」とは、「自分が正しいと考える」ことではありません。「自分流の見方・考え方で理解する」ことではありません。

むしろ逆に、「自分はこう考える」という判断や、解釈や、ものの見方をいっさい差し引いて、「ある」ものを「ある」とだけ、ありのままに、客観的に、主観抜きの〝ニュートラル〟な目で、物事を見すえることを意味しています。

「正しい理解」に「反応」はありません。ただ見ているだけです。動揺しない。何も考えない。じっと見つめているだけです。そういう徹底したクリアな心で、自分を、相手を、世界を理解することを、「正しい理解」と表現しています。

正しい理解こそが苦しみを超える道である――わかる気がしませんか。

正しい理解をきわめた人であるブッダが到達した境地のことを〝解脱《げだつ》〟と呼ぶことがあります。「解脱」(パーリ語でvimutti《ヴィムッティ》、英語ではemancipation)とは、「自由」「解放」という意味です。

ということは、**仏教＝ブッダの教えとは、「正しい理解によって、人間の苦悩から自由になる方法」のこと**だといえるのです。

これは宗教ではありません。本書が「ブッダの合理的な考え方」と呼ぶことには、明白な理由があるのです。

「正しい理解」によって、人は自由な心を取り戻せます。ぜひ実践して、満たされなさを解消して、人生にもう一度、「これでよし」と思える生き方を取り戻そうではありませんか。

人は〝求める心〟によって、苦悩を見る。
ゆえに汝《なんじ》は、〝求める心〟を、正しい道(方法)に立つことで手放せ。
そして再び〝求める心〟に執《と》われて、苦しみの人生に舞い戻らないようにせよ。
――スッタニパータ〈彼岸への道〉の章

第2章

良し悪しを「判断」しない

「ムダに判断」していませんか

人が悩んでしまう理由の一つは、「判断しすぎる心」にあります。

「判断」とは、この仕事に意味があるとかないとか、人生は生きている値打ちがあるとかないとか、彼と自分を比較すれば、どちらが優れている、劣っているといった「決めつけ」「思い込み」のことです。

「どうせ自分なんて」という自虐も判断。「失敗した」「最悪」「ついてない」という失望や落胆も判断。「うまくいかないのでは?」という不安や尻込みも、「あの人はキライ、苦手」といった人物評も、判断です。

こうした判断は、不満、憂鬱、心配事など、たくさんの悩みを作り出します。

もしムダな判断をしなくなれば、心はすっきりと軽くなります。人生はスイスイと渡りやすくなります。その可能性を考えてみましょう。

「いい・悪い」「好き・嫌い」をやめる

「判断」が、人の心をいかに縛りつけているか、今一度振り返ってみましょう。

たとえばこんな人がいます。占い好きで、運勢がいい・悪いといつも判断している。噂話に花を咲かせて、「あの人はこんな人物らしい」と詮索している。人と別れた後は、彼はいい人・悪い人、好きだ・嫌いだと評価している。

「自分は絶対に正しい」と思い込んでいる人もいます。人の意見を聞かずに、自己主張ばかりする人。それどころか、人に意見されると逆上する人。親か、上司か、はた迷惑な友人か、こういう人はあなたの周りにもいるのではないでしょうか。

「判断」は、自分の性格にも影響します。「こうでなければ」という思い込みは、「潔癖さ」や「完璧主義」「頑張りすぎてしまう」性格を作り出します。「自分はダメな人間だ」という自己否定のレッテルにもなります。

「どうせ失敗するに決まっている」「わたしにはそれだけの能力がない」と、ひとりで「結論を出してしまっている」こともあります。これらは全部「判断」です。

こうしてみると、「判断」が、いかに私たちの人生を支配しているかが、見えてきます。人間の心には、例外なく、判断しすぎる心があるのです。

目覚めた者は、人間が語る見解、意見、知識や決まりごとに囚《とら》われない。彼は、善し悪しを判断しない。判断によって心を汚《けが》さない。心を汚す原因も作らない。

ブッダは、正しい道（方法）のみを説く。かくして「わたしが」という自意識から自由でいる。

——スッタニパータ〈心の清浄について〉の節

◆「わかったフリ」は気持ちいい!?

なぜ人は、自分のこと、他人のこと、さらには人生の目的や、生きることの意味まで、あれこれと「判断」したがるのでしょうか。

一つは、**判断すること自体が「気持ちよい」**ことが理由でしょう。良し悪しや、正しい・間違っているといった判断は、それだけで「わかった気」になれます。結論が出せた気がして、安心できるのです（ひょっとすると、これは野生時代の「ここにエサがある」「ここには敵が多い」といった状況判断の名残《なごり》、いわば本能なのかもしれません）。

もう一つの理由は、「判断することで認められた気分になれる」ことでしょう。たとえば誰かとケンカした後に、「あの人はここが間違っている」「彼があんなことをしたから、こうなったのだ」と振り返ることがありますね。友だちに電話して事情を説明し、「それはおかしいよね、あなたは間違っていない」と、第三者の〝お墨つき〟を得ようとすることもあります。あれは「やっぱりわたしが正しいのだ」と思いたいがための行動です。

「承認欲を満たせる判断」を求めているのです。

ということは、判断する心には、わかった気になれる気持ちよさと、自分は正しいと思える（承認欲を満たせる）快楽があるのです。

だからみんな、判断することに夢中です。

「判断」はときに「猛毒」になる

判断が、ただ気持ちよいだけなら、問題ないのかもしれません。しかし、その思いに執着しすぎると、自分か、誰かが、激しく苦しめられることになります。

ある母親が、こんな相談をしてきました。

「娘が勉強しなくて困っています。どうすれば勉強するようになるでしょうか？」

聞けば、娘を「最難関の○○大学に行かせる」ため、超スパルタ教育を売りにしている中高一貫の学校に送り込みました。夜も教室で自習させ、成績次第で修学旅行の行き先さえ変わるという徹底した学校でした。母親は言葉では「娘にいい人生を送らせたい」と語っていますが、その本音は「自分が受験に失敗したから、娘の人生で挽回したい」という個人的なルサンチマン（怨み・未練）にある様子でした。

この母親は、娘にとって奇妙な存在でした。小さなことでキレて、娘に当たります。「あんたなんか、どうせ受かりっこない」と矛盾した言葉をぶつけてきたかと思うと、急にしくしく泣いてお酒を飲んでいるというありさまでした。娘からすれば、なぜここまで人格否定されるのか、なぜこんなに勉強させられているのか、わかりません。やがて、なぜこの家にいるのか、なんのために生きているのかと考え始めて、どんどん情緒不安定になっていきました。

そして中二の秋の夜中に、風呂場でリストカットしてしまったのです。

女の子は、幸いに命を取りとめました。ですが母親は、その事件の後も、娘への辛辣な態度と勉強の強制をやめませんでした。「どうすれば勉強するようになりますか」と相談してきたのは、なんとその事件の後です。女の子は、その後は自傷行為には走りませんでしたが、高校途中で退学して、結局大学にも進みませんでした。

痛々しい話ですが、こうしたケースは珍しくありません。似たような体験を、子どもの頃にした人も多いかもしれません。もしかしたらあなたも今、親として、同じようなことをしてしまっているかもしれません。

問題は、こうした現実を、どう受け止めるかです。

◆「サラサラと流れる小川」のような心

仏教は、人が抱える苦しみ・悩みというものを、そのままに見ます。

この母親のことも、「間違っている」と、最初から「判断」しようとはしません。むしろその前に、この母親の心にはどんな原因があるのだろう、どう考えれば、その苦しみを取り除けるのだろう、と理解しようとするのです。

この母親の場合は、「自分は〇〇大学に行けなかった」という思い（挫折感・欠落感）が、苦しみ（怒り）の原因になっています。「〇〇大学に行かなかった」というのは「事実」ですが、この母親は「行けなかった」「だから自分には価値がない」と「判断」しているのです。この女性もまた、「判断」の犠牲者なのです。

その判断が、自分への「怒り」を生んでいます。鬱になるのも、八つ当たりするのも、原因は「判断」（思い込み）にあります。「行きたかった」という願い、「行けなかった」という判断が、「執着」となって自分を、そして娘を苦しめているのです。


人は三つの執着によって苦しむ。①求めるものを得たいという執着（だがかなわない）。②手にしたものがいつまでも続くようにという執着（やがて必ず失われる）。③苦痛となっている物事をなくしたいという執着である（だが思い通りにはならない）。

では、これらの苦しみが止むとは、どういう状態なのだろうか。それは、苦しい現実そのものではなく、苦しみの原因である〝執着〟が完全に止んだ状態なのだ。

――サルナートでの五比丘への開示　サンユッタ・ニカーヤ

人が苦しみを感じるとき、その心には必ず「執着」があります。本来心は、サラサラと流れつづける小川のように、苦しみを残さないはずなのに、執着ゆえに、滞《とどこお》り、苦しみを生んでいるのです。

苦しんでいるのが、自分であれ、相手であれ、誰かが苦しんでいるなら、何かが間違っています。

「このままではいけないのだ」と、目を醒《さ》ましてください。

ブッダの考え方にてらして、こう考えましょう。

「かなわなかった過去の願い」が、苦しみを生んでいる。

「失敗した」（こんなはずではない）という判断が、苦しみを生んでいる。

「相手はこうでなければ」という期待・要求が、苦しみを生んでいる。

これらの「執着」を手放さなければ――でないと、自分も相手も、苦しみつづけてしまう。

「ない」ものを「ある」と勘違いしないために

「判断」――決めつけ、思い込み、一方的な期待・要求――は「執着」の一種です。俗っぽい言い方をすれば、「心のビョーキ」です。

もともとその「判断」は、アタマの中に存在しなかったはずです。きっと親や先生、友だち、世間にあふれる情報を通して、「こうでなければいけない」という判断の仕方を学習したのでしょう。

たしかに、仕事や、生活や、将来の選択など、必要な判断はあります。「決める」ことで、心の見通しがよくなることもあります。

しかし、どんな判断であれ、「執着」してしまうと、苦しみが生まれます。というのは、現実はつねに「無常」――変わりゆくもの――だからです。

かつての願いが、かなわなかったという事実がある。だとすれば、その「願い」は、もはや存在しない「妄想」なのです。「執着」しているから、今なお見えるような気がしてしまいます。でも、本当は存在しないものなのです。

「こうでなければ」という、自分の人生や、相手への期待も、それだけならただの「判断」。それはアタマの中にしか存在しないから「妄想」です。

妄想にすぎない「判断」に執着して、今なお、自分や相手を苦しめている――それが真実の姿です。

もう、いいかげん自由になろう――そう思えてきませんか。

仏教では、本来「ない」ものを「ある」と思ってしまう心理を〝顛倒《てんどう》〟と呼びます。「勘違い」のことです。

誰かを苦しめている「こうでなければ」という判断、期待は「勘違い」です。

「勘違い」は、抜けるにかぎります。むしろ、目の前の現実のほうを中心にすえて、よく理解するように努めて、みんなが幸せに生きていけるような生活を一から作っていくことが正解なのです。

◆苦しみを手放す。その「方法」がある

「判断」を手放すことは、ブッダに倣えば、意外と簡単です。

先ほど、「判断は、アタマの中にしか存在しないから妄想である」とお伝えしました。

びっくりするかもしれませんが、それが真実です。

「なんだ、判断って、妄想にすぎなかったのか!」と、気づいてください。まるで〝影絵のトラ〟に怯えていたようなものでしょうか。「正しい理解」は、心の闇を晴らしてくれるのです。

「でも、その妄想を手放すのが難しい」

「どうしても手放せない。だから苦しんでいるのだ」

と言う人もいると思います。その気持ちはよくわかります。

ただ、だからこそ、ブッダが教える考え方、心を洗う方法を実践していくのです。「このままでは苦しい。自分はもっとラクになりたい」という願いから、新しい生き方を始めていくのです。

苦しみがある。でも取り除くことができる。取り除く方法がある——その「方法」を、原始仏教では「道」と表現しています。

「苦しみを生んでいる判断を手放そう」という決意に立って、その「方法」を実践する。

これこそが「道を生きる」という生き方です。カッコイイではありませんか。

人は、苦しみつづけるより、苦しみから自由になることを、人生の目標にすべきです。

過去も、判断も、全部〝手放す〟。そうして、ラクになるのです。

あなたにも、「判断」による苦しみがなかった時代が、あったはずです。

もう一度、その頃の「自由な心」へと向かっていくのです。


道を生きる者は、灯火《ともしび》をもって暗室に入るかのごとく、光明をもって人生の闇を抜けるであろう。

道を得るとは、智慧の光――正しい理解と考え方――を得ることであるから。

――四十二章経

財産や容姿は不変の宝ではない。求めるものは得られぬことが多い。

しかし、道だけは心のままである。これを実践すれば、心を害するものは何もない。

――遊女アンバパーリへの励まし　マハーパリニッバーナ・スッタ

〝慢〟という心のビョーキに気をつける

人を苦しめる「判断」には、「自分はエライ」「正しい」「優れている（はずだ）」と肯定しすぎる思いもあります。仏教では、こうした心理を〝慢《まん》〟と呼びます。

〝慢〟は、いっときは自分を肯定できる気がして心地よいのですが、高慢、傲慢、プライド、優越感といった思いは、結局、不満や、うぬぼれゆえの失敗を招いて、損をします。

本当は、「自分も、他人も判断しない」ことが、一番なのです。そうすれば、心を別の喜び・満足に使えるからです。素直で、ラクな自分になっていけるのです。

「自分が」「あの人が」という思いが〝心に刺さった矢〟であることに、人は気づかない。正しく見る者に、苦しみを繰り返すこだわり（自意識）は存在しない。

――ウダーナヴァルガ〈観る〉の章

あなたに「役立つかどうか」で考えていい

〝慢〟とはいわば、「自分の価値にこだわる心」。実は、傲慢さやプライド・虚栄心、さらには劣等感や「自信がない」という思いも、〝慢〟に当たります。

人はみな、「自分が考えることは正しい」と、心のどこかで思っています。

しかし、その判断が正しいのか、間違っているのかは、一体どのように「判断」するのでしょうか。

ブッダは、このように語っています。

私が言葉を語るのは、相手に利益となる場合である。真実であり、相手に利益をもたらす言葉であれば、ときに相手が好まない言葉であっても、語るべきときに語る。それは相手への憐れみ（慈悲）ゆえである。

——アバヤ王子との対話　マッジマ・ニカーヤ

つまり**「真実であり、有益である（役に立つ）」こと――これがブッダの基準**です。

「真実である」ことは、世間では通せないこともよくありますね。でも「有益である」（役に立つ）というのは、どんな世界であれ、大切な判断基準になります。

たとえば仕事なら、「利益が上がる」「働きやすい環境につながる」「業務が円滑に進む」ような判断が、正しいことになります。大事なのは「役に立つか」という視点です。

では、私たちの日頃の判断は、どうでしょうか。自分、他人、人生、仕事などへの、正しい・間違っている、良い・悪いという判断は、「真実」でしょうか、「有益」でしょうか。

まず、アタマの中で繰り広げる判断は、それだけなら「ただの妄想」ですから、「真実」とはいえません。現実に役に立っていないなら、有益でもありません。

ということは、人間が考える多くの判断は、実は真実でもないし、有益でもありません。いわば〝ヒマつぶし〟です。なぜそんな判断をしているかといえば、すでにお伝えした通り「判断自体が気持ちいい」ことと「承認欲が満たせる」ことが理由でしょう。

この二つの理由は、まさに、〝慢〟の正体そのものです。

もしあなたの周りに、傲慢な人がいたら、その心理を理解してあげてください。判断ゆえの快楽と、承認されることへの欲求です。心が渇いているその人の苦しみを感じてあげてください。

「自分は正しい」という考えから離れてみる

「自分は正しい」という判断は、自分にとっては正しく見えますが、ブッダの理解にてらせば、正しいとはいえません。

むしろ「自分は正しい」と判断してしまった時点で、その判断は「間違ったもの」になってしまうのです。これも、ブッダが教える面白い真理です。

原始仏典に、こんなエピソードがあります――。

　ある都市の王が、宮殿に生まれつき盲目の人たちを集めて、象を触らせました。ひとりには象の鼻を、ひとりには象の足を、ひとりには象のしっぽをと、象の一部だけを触らせて、「では、象とはどんなものか言ってみよ」と命じたのです。

　するとひとりは、「犂《すき》の長柄《ながえ》のようなものです」と答え、ひとりは「石柱のようなものです」と答え、ひとりは「箒《ほうき》のようなものです」と答えました。ほかの部分を触った盲人たちも、めいめいに「象とはこんなものだ」と主張して、「お前は間違っている！」と、殴り合いのケンカを始めました。その光景を見て、王は大笑いしました。

――市街サーヴァッティでの説法　ウダーナ

このエピソードは、視覚障害への差別観を含んでいる気がして、私個人は好きではありません（障害を〝前世の業〟のせいだと考える古い世界観の名残です）。

ただこの話は、一つの本質を語っているように思います。

つまり、人間というのは、一部しか見ていない――そもそも立っている場所も、見ているものもまったく違う――にもかかわらず、すべてを理解した気になって、「自分は正しい」と思い込んでいる、ということです。

人と人とが関わるときには、必ず見解の違いが出てきます。

「これは、どう考えても、自分のほうが正しい」と、考えることもありますよね。

しかし「どう考えても」というその「考え」は、自分のアタマで考えたことである以上、「どう考えても」自分の考えしか出てきません。自分で考えれば、自分の考えだけが出てくるのは、当たり前の話です。しかし、だからといって、その考えが正しいということにはなりません。だって、考えている前提――立場も体験も脳も――が違うからです。

ブッダが教えるのは、どのような判断も、個人のアタマに浮かぶ想念――三毒でいうなら妄想――にすぎないということです。にもかかわらず、「自分は正しい」と執着してしまったら、その時点で〝慢〟が生まれます。

仏教が目指す「正しい理解」とは、逆説的な言い方になりますが、**「正しいと判断しない」理解**です。そんなことより「真実であり、有益である」ことのほうが大事ではないか、と考えるのです。

この思考はみごとだと思います。ストレスも溜まらず、お互いにわかり合い、貢献し合える関係を可能にするからです。

> 正しく理解する者は、「自分が正しい」と思うこと（慢）がない。
> だから、苦しみを生み出す「執着の巣窟」（わだかまり）に引き込まれることはない。
> ――スッタニパータ〈あるバラモンとの対話〉の節

「つい判断してしまう」からの卒業

「判断しない」ことを、生活の智慧として理解したら、ここから「実践」へと入っていきましょう。ムダな判断から自由になる方法を、三つ紹介します。

①「あ、判断した」という気づきの言葉

一つめは、シンプルに「判断に気づく」ことです。「今日はついていない」「失敗したかも」「あの人は苦手、嫌い」「自分はダメな人間」といった思いがよぎったときは、「あ、判断した」と気づいてください。

誰かのことを好きか嫌いか、いい人か悪い人かと「品定め」している自分に気づいたら、「あ、また判断している」と気づきます。よく友人や家族の間で、誰かの「人物評」をすることがあるでしょう。そういうときはお互いに、「まぁ、判断にすぎないけどね」といった〝気づき言葉〟を入れるとよいかもしれません。

「いい人、と判断するのもいけないの？」と思う人もいるかもしれません。一概には言えませんが、肯定的な判断も、状況が変われば、否定的な判断に変わることはよくあります。

そもそも私たちに、誰かをいい人、悪い人と判断する「資格」はあるのでしょうか。たぶんブッダならば、クールに「それは必要のない判断である」と言うだろうと思います。


人は自らの心を整えず、あれこれと判断して、心を失っている。

あちこちに目をやって、一体何の役に立つだろう。

自己にこだわる意識を抑え、人の評価を追いかけずに、自らの心の内をよく見るがよい。


——長老クマープッタの修行仲間の言葉　テーラガーター

②「自分は自分」と考える

判断は「心のクセ」のようなもの。世間には、較べること、評価すること、あれこれ詮索することが大好きな人が大勢います。噂話なんて「判断」のオンパレードです。

でも「みんな判断しているから、わたしだって」と考えると、自分も「判断大好き」な人間になってしまいます。しかし、その余計な判断こそが苦しみを生んでいることを、私たちは理解しましたよね。

もし真面目に、これ以上悩みを増やしたくないと願うなら、「判断」から足を洗うにかぎります。他人はあれこれと判断するかもしれないが、自分はこれ以上苦しみたくないから、判断を手放そうと肚《はら》を決めるのです。

かつてブッダが、チュンダという名の修行僧に、こう語ったことがあります。「間違った思い込み」を捨てるにはどうすればいいかという問いに、こう答えたのです。

それではチュンダよ、このように考えて、自らを戒めよう。

荒々しい言葉を語る人もいるかもしれないが、わたしは荒々しい言葉を語らないように努力しよう。

自分の考えに囚《とら》われる人もいるかもしれないが、わたしは自分の考えに囚われないように心がけよう。

間違った理解や思考を手放せない人もいるかもしれないが、わたしは正しい理解と思考が身につくように頑張ろう。

見栄やプライドにこだわる人もいるかもしれないが、わたしは見栄やプライドから自由でいられるように精進しよう。

自分をよく見せたがる人もいるかもしれないが、わたしはありのままの自分で生きていくように努めよう。


――チュンダへの諭し　スッレカ経　マッジマ・ニカーヤ

ブッダの考え方のポイントは、「世間にはこういう人もいるかもしれないが、わたしはこうしよう」と、他人と自分との間にきっちりと線を引いていることです。

「人は人。自分は自分」という明確な境界線を引くのです。

この考え方ほど、大事なことはありません。世の中にはたしかに、判断好きな人がいます。しかし、自分も同じことをする必要は、ありませんよね。

自分の心は、自分で選ぶこと、決めること――つねに自由に、独立して考えなさい、というのも、ブッダの思考法です。

③いっそのこと「素直になる」

もう一つ大切なのは、**「素直になる」**ことです。自分が一番ラクになれるからです。

自分はエライ、正しいという〝慢〟の心に固まってしまうと、周囲との間に「壁」ができてしまいます。人とわかり合えなくなります。また、何か言われると自分を否定された気がして、逆上したり、落ち込んだりと、苦悩を溜めていきます。

こうした苦しみは、周囲が問題なのではありません。「自分は正しい」という思い込みが、原因なのです。

〝慢〟に囚われた人にとって、「自分の正しさ」を手放すことは、自分を否定すること（自殺行為）になります。だから、人はなかなか素直になれません。

こういうとき、仏教を活かすなら、**「方向性を見よう」**ということになるでしょう。

「方向性を見る」とは、仏教の中の「正しい思考」と呼ばれる教えの一要素です。自分のこれからの方向を見ること。そして、自分は正しいと思いつづけたいのか、正しさにこだわらない、素直な自分を目指したいのかを、選択するのです。

率直に言って、「自分は正しい」という思いなんて、あまりに小さな自己満足にすぎません。その思いが、誰を幸せにしているというのでしょうか。

「正しい自分」でいるより、「素直な自分」でいるほうが、魅力的だと思いませんか。人の話をよく聞けること、ものわかりがよいこと、心を開いて話し合えること。そういう自分のほうが幸せになれると思うのですが、いかがでしょうか。

素直になってしまえば、みんな幸せになれます。バカにされるどころか、敬意をもって接してくれることでしょう。なにより、自分が一番ラクになれます。

「わたしは慢という病気にかかっていました」と、素直に認めるのが一番です。ちなみに仏教の修行の中には、「懺悔《さんげ》」「つつしみ」という時間《ひととき》があります。自分のあやまちや、慢、誤解を、心の中で詫《わ》びるのです。

べつに周りに宣言しなくても、〝自分の中の誓い〟として立てるだけでかまいません。**「素直になってみよう」**と考えてみましょう。それだけでも、心が開かれたように感じるはずです。

「自分を否定しない」。どんなときも

失敗した——と思うことは、仕事でも、人間関係でも、人生全般に、必ず起こります。大事なのは、そこで凹《へこ》まないこと。けして自分を否定しないことです。

しかし、「判断」という心の反応は厄介《やっかい》なもので、すぐに「評価を下げたかも」「自分は向いていない」「なんてダメな人間なんだ」と、自分を責めてしまいます。

人によっては、コンプレックスや挫折感、「生きている価値がない」とまで、思い詰めることさえあります。今の時代には、多くの人が自分を否定して苦しんでいます。

こうした「自己否定の判断」に打ち勝つ、強い心作りを仏教に学んでみましょう。

◆怒りを作り出すのは「自分」

今一度、「自分を否定してしまう」判断がもたらす悩みを、理解してみます。

自分を否定すると、承認欲が満たされない「怒り」が生まれます。怒りは、本人にとって「不快」な反応なので、その状態を解消したくて①「攻撃」か②「逃避」を選択します。

この二つは、生物ならみんな持っている本能的な反応です。

「攻撃」は、こんな行動として現れます。キレる、怒鳴る、いやがらせ（迷惑行為）で憂《う》さを晴らす。または「自分への攻撃」として、自分を責める、嫌う、自分がいけないのだと断罪する、生きたくないと考える——。

「逃避」は、こんな形で出てきます。無視する、さぼる、手を抜く、休む、引きこもる、ひたすら眠る、鬱になる、刺激・快楽に依存する——。

こうした反応が出てきたとき、自分も周りも、「なんとかしないと」と考えます。

ただ、注意しなければいけないのは、その「なんとか（矯正）しないと」という判断もまた、本人を否定する判断だということです。つまり「怒り」が生まれます。その怒りが、新しい「攻撃」か「逃避」の反応を生み出します。こうなると「悪循環」に陥ってしまいます。

仏教的には、どんな状況であれ「怒りを作り出さない」という方針に立つことです。**どんな状況にあっても、「判断しない」（否定しない）**というのが、重要なのです。

◆「自由な心を取り戻す」エクササイズ

では、どんなときも自分（相手）を否定しないためには、どうすればいいでしょうか。人は「判断しない」という訓練を積んでいません。だから「否定してはいけない」「ありのままを受容することが大事」と、理屈ではわかるものの、アタマの中では「やっぱりなんとかしないと」と、判断してしまうものです。

人によっては、「近所に顔向けできない」とか「悪い噂を立てられたらどうしよう」といった、いっそうムダな妄想・判断をしていることがあります。その否定的な判断を、言葉がけや、表情や、ちょっとしたまなざしを通じて、本人が〝感知〟してしまうのです。

その「否定」が、本人自身のものであれ、周りの人のものであれ、実践しなければいけないことは一つです。それは、「否定的な判断をやめる」練習です。これは、関係する人全員が、自分自身の課題として、取り組まなければいけません。

判断全般については、先ほど紹介した「あ、判断した」に始まる三つの方法が使えます。ただここでは、自分を否定して「つい自分（相手）を否定してしまう」人向けのエクササイズとしてまとめてみましょう。

それは、①一歩、一歩と外を歩く、②広い世界を見渡す、③「わたしはわたしを肯定する」と自分に語りかける、という方法です。実はこれらは、私自身が、人生で一番苦しかった時期に実践していた方法でもあります。

①一歩、一歩と外を歩く

一つは、すぐに外に出ること。散歩することです。一時間でも、二時間でも、歩けるところまで、歩いてみてください。

このとき、肉体がキャッチする「感覚」に意識を向ける（感じ取る）ようにしてみましょう。仏教が教える「感覚が生まれる場所」は五つあります――目・耳・鼻・口・肌――です。その一つひとつに、これまで以上に意識を向けてください。

たとえば朝、昼、夜と、時間帯によって、空の色も、街の光も、木々の緑や流れる川の色も、違って見えるはずです。今この瞬間に、世界はどう見えるのか――目を見開いて、視覚をフルに使って、よく観察する（見つめる）ようにしましょう。

　鼻先から入ってくる空気の匂いも、濃密さも、季節や一日の時間によって違います。冷たかったり、温かかったり、湿っていたり、乾いていたり——外の空気は、自分自身の〝閉ざされた心〟とは、まったく違った新鮮なものです。その新鮮さを、呼吸しながら、嗅覚をもって、感じ取りましょう。


　足を運ぶ、一歩、一歩の感覚にも、意識を向けます。靴の裏に伝わる、大地の感触を感じ取ります。どこまでも歩いていきましょう。

　今たしかに存在するのは、「感覚」です。さっきまでアタマを占領していた「苦悩」は、この瞬間にはありません。「もうひとりの自分」「もう一つの人生」が、ここにあります。**あなたはすでに、これまでとは違う新しい人生を〝生きている〟**のです。

　深夜に歩いてみれば、コンビニなど二四時間営業のお店を見かけることがあるでしょう。そこで働いている人の生活を想像してみてください。いろいろな人生があることが見えてきますよね。人はみんな孤独です。でも、別の人の孤独を想うことができたら、そのとき孤独でなくなります。

日頃ネガティブな判断が心に湧いてきたら、そこで「ゲームオーバー」だと考えましょう。その先に待っているのは、自己否定という暗い妄想です。その闇の中に希望はありません。考えても答えは見つかりません。

いさぎよく、「感覚」の世界へ、心の別の領域へ、意識を向け換えようと考えるのです。

そして、外に出るのです。

あの比叡山では「千日回峰行《せんにちかいほうぎょう》」といって、毎日三〇キロから八〇キロメートルにわたる距離を、足かけ七年かけて歩きつづける修行があります。

「自己否定を抜けるための散歩」も、一つの修行です。修行という言い方が重たければ、「練習」「実践」「生活」「心がけ」というのは、どうでしょうか。

どれくらいの期間歩けばいいのか、決まった答えはありません。でも、ただ歩けばいいのですから、難しくありません。何か月でも、何年でも、自分を否定する判断が消えてなくなるまで、散歩しつづけてみるのです。

自分を苦しめる判断を抜けることほど、人生で大切なことはありません。

じっくりと肚をすえて、心の自由を取り戻すまで、歩いてみようではありませんか。

②広い世界を見渡す

外の世界を見渡せば、いろいろな人が生きています。実は、あなたを「否定」してくるような人間は、自分が思っているほど多くはいないものです。

買い物途中の親子づれや、街角の交番のおまわりさんや、お店で働いている店員さんたちを、眺めてみてください。外で見かける人はみな、それぞれの日常を生きています。道を訊ねてみれば、驚くくらいに親切に答えてくれることでしょう。

世の中には、たくさんの、心優しい人、良心的な人、親切な人がいるものです。人を否定するという発想すらなく、毎日を一生懸命生きている人が大勢います。

昼下がりでも、たそがれ時でも、星が輝く夜でも、目を見開いて、空を見上げてください。広い世界がそこにあります。自分はこれまで、「自分を否定するという判断」という一点だけを見つづけていたのかもしれません。その「判断」はどこから来たかといえば、親だったり、友人の一言だったり、世の中に流れている情報や価値観だったりしたのかもしれません。あるいは自分自身の小さな「思い込み」「勘違い」だったのかもしれません。

「執着」すれば、その一点が大きく見えるのは、自然なことです。その「一点」が「人生のすべて」にさえ、見えてくるものです。

でも、執着から一歩離れて――その一点に反応している心に気づいて――外の世界を見渡してみれば、その「否定的判断」は、もう存在しないのです。

新しい世界に目を向けてみましょう。そこに見えるのは、新しい人生です。

③「わたしはわたしを肯定する」

「自分を否定しない」もう一つの方法は、「ただ肯定する言葉」をかけることです。「わたしはわたしを肯定する」と、自分に言い聞かせてみましょう。

この「肯定する」という言葉は、世間でいう「ポジティブ・シンキング（積極思考）」とは違います。

よく「自分はできる」とか「日増しに良くなっている」というようなポジティブな言葉を自分に語りかけよう、という話を聞くことがあります。

たしかにこうした言葉が、「暗示」として効くことはあると思います。しかし、前向きな言葉があまりに「現実」とかけ離れていると、心が「ウソ」を感じ、効かなくなってしまいます。結局、言葉だけで終わってしまい、「現実のわたしは置いてきぼり」ということが、よく起こるのです。

仏教は、「正しい理解」を基本にすえるので、現実と合致しない言葉がけ（ある意味、妄想）というのを、当てにしません。

「こうなったらいいな」という〝方向性〟は考えますが、それはあくまで将来のこと。それだけなら、妄想の領域です。

問題は、今自分を否定してしまう判断を、どう止めるかなのです。そのためには、判断そのものを停止させる、シンプルな言葉のほうが効きます。

それが、「わたしはわたしを肯定する」という言葉です。

実際にやってみると、「判断が止まる」ように感じることでしょう。

これからは、よけいな判断をアタマから締め出せるように、「どうせ」「しょせん」「自分なんて」という言葉が出かかったら、この言葉を強く念じてください。念じつづけてください。

わたしはわたしを肯定する——。

判断を止めれば、人生は流れ始める

考えてみれば、人間は判断することが大好き。しかも、認められたいという欲求もある。ならば、ままならない現実を前にして、「自分を否定してしまう」のは、自然な反応なのかもしれません。

しかし、仏教的な理解にてらせば、「自分を否定する」という判断に、合理性はありません。なぜなら、①その判断は苦しみを生んでいるし、②その判断は妄想にすぎない、からです。真実でも有益でもない判断は、必要がないというのが、ブッダの考え方です。

「でも、ときには自分を追い込むとか、ムチ打つことも必要では？」と思う人もいるかもしれません。

ただ、仏教の中には、「方向性を見定める」「今に集中する」「妄想するのではなく、行動する」といった、別の励まし方があります。わざわざ自分を否定して「怒り」をエネルギーにするより、ずっと頑張れる考え方があるのです。

どのような状態であっても、自分を否定するという判断は手放すことです。むしろ、今何をすべきか、何ができるかという、「この瞬間」だけを考えましょう。

以前、私が修行した禅寺で、ある朝、若い修行僧が、寝坊して勤行《ごんぎょう》に遅れてきたことがありました。本人は「坊主失格だ……」と落ち込んでいましたが、その寺の和尚《おしょう》は「バカもの、今だけを見よ（喝）！」と叱り飛ばしていました。

この和尚の理解は、正しい理解です。

「過去を引きずる（過去を理由に今を否定する）」というのが、それ自体、心の煩悩、邪念、雑念なのです。

人生に、あやまち、失敗はつきものです。ただ肝心なのは、そのとき「どう対応するか」なのです。

落ち込まない。凹まない。自分を責めない。振り返らない。悲観しない。

それより、今を見すえて、正しく理解して〝ここからできること〟に専念するのです。

もちろん、人に迷惑をかけたときは、事態を正しく理解して、「すみませんでした」と素直に謝りましょう。それも含めて、もう一度、新しくやり直すのです。

過去の汚れを捨てて、新たな汚れを作らない。
智慧にめざめた人は、思い込みから自由になって、自分を責めることをしない。

心の内側も、外の世界も、よく理解するがよい。
ただそれによって自分の価値を測ってはならぬ。
その思い（判断）は、よろこびにつながらないからである。

「自分は優れている」とも、「劣っている」とも、「等しい」とも判断するな。
さまざまな言葉を受けても、自分の価値を判断しないようにせよ。

さまざまな煩悩（評価・計らい・判断）が消滅した境地こそが、よろこびである。
その者は、すでに勝利している。他者に負かされることは、もはやない。

――スッタニパータ〈論争について〉〈速やかな成就〉の節

「本物の自信」をつけるには？

「もっと自信があれば、人生うまくいくのに」と感じている人は、大勢いるはずです。

ただ、ブッダの考え方にてらせば、自信がある・ないというのも「判断」にすぎません。

「判断」は妄想の一種ですから、すぐに吹っ飛びます。ハードな「現実」を前にして、弱気になったり、緊張したり、自信喪失したりといった具合です。

仏教では、自信という「判断」は〝後回し〟です。それよりもやらなければいけないことがある、と考えます。やるべきことをやって、「自信がある人」以上の成果を上げる――それがブッダの思考法です。

◆「自信が欲しい」は完全に「不合理」

「もっと自信が欲しい」というのは、ブッダの考え方にてらせば、完全に「不合理な」発想です。

というのも、「自信」というのは、「自分はこれができる」「必ず成果を出せる」という「判断」なのでしょうが、そもそもできるかどうか、成果が出せるかどうかは、その時点ではわかりません。つまり、もともと、あらかじめ判断しようがないことなのです。

また仮に一度は成功したとしても、状況はつねに新しく変わるので、次もうまくできる保証はありません。過去の成功をもとに「自信がついた」と言っても、その自信は、次の状況には通用しないものです。

ということは、あらかじめ「自信を持つ」というのは、現実には不可能なのです。

実際に、実業界でもスポーツの世界でも、業績を上げている人の中で「自信がありま す」と言う人は、みごとにいません。もしいるとしたら、「危ないな（勘違いしている な）」と思われるのがオチではないでしょうか。

自信なんて、考えなくてよいのです。先のことはわからない。それよりも、今しておかなければいけないことがある――それが正しい考え方です。これは、仏教を持ち出すまでもなく、多くの人が共有している真実だろうと思います。

「それより、今できることとは何だろう？」

それでもなぜ「自信」を欲しがる人が多いのかといえば、やはり「妄想に囚われている」からでしょう。

一つめの妄想は、「自分はできる」と思いたいという〝慢〟です。世の中には、根拠もないのに、やたらプライドが高かったり、「上から目線」だったりする人がいますね。

彼らは一見「自信家」に見えますが、そう見えるのは、「自分はすごいのだ」という慢に囚われているから。あるいは「すごい人だと思われたい」という願望があるからです。

でも、そういう人たちの「自信」というのは、根拠のない妄想です。

二つめの妄想は、「不安を打ち消したい」がための妄想です。

つまり、自分はできないかもしれない、失敗するかもしれない、うまくいかないかもしれない……という将来への不安（妄想）がある。その妄想を打ち消したくて「自信を持ちたい」と考えているのです。

こうした心境で思い浮かぶ「自信」とは、不安な現実を埋め合わせるための妄想です。

つまり「自信家」も「自信がない人」も、結局は〝自分に都合のよい妄想〟に囚われているのです。

仏教的な考え方が身についてきた人なら、ここで「妄想は当てにしない」とすぐに発想できることでしょう。「自信めいた気持ち」が出てきたときは、「あ、妄想が湧いた」「あ、判断した」と気づいて、リセットしようとするはずです。「それより今できることは何だろう？（やらなきゃ）」と考える――これがブッダの合理的な思考法です。

ところが、自信を欲しがる多くの人は、最初の妄想の上に、新しい妄想を「上乗せ」しようとするのです。「自分はできる、すごい」と最初から思っている（妄想している）「自信がある」人は、「もっとできる自分」を妄想します。

逆に「自分はできない」と思っている人は、その思い込み（妄想）はそのままに、「（今とは違う）できる自分」という新しい妄想をもって、最初の妄想を〝克服〟しようと考えているのです。

つまり、いずれも一つの妄想から、新しい妄想を作り出している状態です。これは完全に〝思考のミス〟なのです。

◆「頑張らなきゃ」という思い込みから降りる

「自分はできる」と勘違いしている人――根拠のない自信家――については、仏教は〝ノータッチ〟です。どこかでつまずいて「あれ、勘違いしていたか」と考え始めたときに、お役に立てるかもしれません。

考えたいのは、「自分には自信がない」「自分はまだまだ」と二の足を踏んで、「だから自信が欲しい」と感じている人の考え方についてです。

本当は、「自信がない」「まだまだ」という最初の判断自体が、勘違いです。仮に過去に失敗続きで「何一つできなかった」という思いがあっても、「だから自信がない」と考える必要はありません。他に考えるべきことがあるのです（のちほどお伝えします）。「自信がない」も「まだまだ」も余計な判断、勘違い。そのことに気づかないと、人によっては「自信がないから、もうしばらく様子を見よう」と、大事な決断を先延ばしにしたり、「自信をつけたいから、もっと頑張らないと」と無理しすぎたり、「自信をつけるために、次はこの資格を目指そう」と、自分にムチを打ちつづけるということが起こります。

しかし、いくら「先延ばし」しても、自信が持てる状況は、たぶん来ません。いくら「無理」しても、「さらなる目標をクリア」しても、きっと自信はつかないでしょう。というのは、思考の始まり（出発点）が、「自分はまだまだ」「自分には能力がない」という「ネガティブな妄想」だからです。その最初の思い込みから降りないと、「自分はできる」という思いを持つことはできず、きっといつまでも「自信が欲しい」という思いに駆られつづけるでしょう。

「自分はまだまだ」と感じている人は、たくさんいると思います。

しかし、その「まだまだ」こそは、必要のない判断・妄想です。本当は、そうした思いに反応しないで、ただ今なすべきこと、今できることを、やっていく・やってみることのほうが大切なのです。

「まだまだ」はやめましょう。「自信が欲しい」とも考えないでください。

わたしはわたしを肯定する。そして、今できることをやっていこう、と考えましょう。

◆「とりあえず体験を積む」だけでよい

もし唯一「自信」を持てることがあるとすれば、それは**「こう動けば、成果が出る」という見通し**が立つようになったときです。それはもちろん、行動・体験の積み重ねの後、〝時間の蓄積〟の後に、初めて持つことができます。

どんな世界でも、成果を出せる見通しがつくには、「一〇年かかる」と言われます。仕事なら、二十代のうちにスキルや人脈を身につけて、三十代に入ってから責任あるポストを任されるようになります。スポーツや芸能の世界で活躍している人たちも、経歴を見れば、幼い頃からはげしい練習を積んで、一〇年あたりをすぎてようやく頭角を現してきます。どの世界にも〝時間の蓄積〟が必要なのです。

本当は、今この瞬間に、なんの判断も必要ないのです。ただ「やってみる」だけ。そうやって「体験を積む」だけでよいのです。

自信をつけるたった一つの方法を、まとめてみましょう。

①やってみる
②体験を積む
③ある程度の成果を出せるようになる
④周囲が認めてくれるようになる
⑤「こう動けば、ある程度の成果が出せる」と見通しがつくようになる

人によっては、①の「やってみる」ことが難しい、と言うことでしょう。

でも、そんなときこそ「これは妄想ではないか」と考えてください。「失敗するかもしれない」「迷惑をかけてしまうかもしれない」「わたしなんてまだまだ」といった、ためらいがないでしょうか。あるとしたら「妄想」です。

ここでも、その妄想に反応しないで、妄想は妄想にすぎないと正しく理解して、「とりあえず、ただやってみよう」というスタートラインに、意を決して立ってみることです。

「やってみる」という発想に立てれば、仕事、人生は、かなりラクになります。

何をすればいいかわからなければ、「何をすればいいですか？」と聞くだけです。

やり方がわからなければ、「どうすればいいですか？」と聞くだけです。

教えてくれれば、「ありがとうございます」と言うだけです。

迷惑をかけてしまったら、「ごめんなさい」と素直に謝るだけです。

そして「頑張ります」という最初の思いに立ちます。


こうした態度は、できるかできないかという結果に「執着しない」、仏教的な心がまえといえるかもしれません。ただこれは、どのような仕事であれ、どんな世界であれ、〝使える考え方〟だと思います。

やってみて、少しずつできるようになって、経験を積んで、あるときふと振り返ったときに、「ああ、これだけ続けてきたんだ」と思える場所に立っている。ある程度成果が出せるという見通しが立つようになる。

そのとき感じる手応えが、「本物の自信」です。

第3章

マイナスの感情で「損しない」

感情を、上げもせず、下げもせず

ふつうに生活していれば、「感情」に関する悩みは、避けられません。

職場でも、家庭でも、どこに行っても、人は「感情」に悩まされます。ストレスが溜まる。怒りで何も手につかなくなる。仕事で失敗して落ち込む。大事にしていたものを失《な》くして悲しむ。この先どうなるのだろうと不安になる……こうした心の動揺が、「感情」です。

「感情を上手にコントロールできたら」とは、誰もが願うことですよね。

「感情」もまた、心の反応です。感情で「損をしない」ための智慧を学んでみましょう。

◆まず悩みを「整理」してみよう

仏教によれば、「感情をめぐる悩み」は、大きく二つに分けて考えることになります。

①不快な感情が生まれるのを防ぐ。湧いてしまった感情は、早めにリセット（解消）する。

②相手とどう関わるかを考える。

①は「感情」の問題で、②は「関わり」の問題です。きわめて重要なことですが、この二つは、分けて考える必要があります。

実は、ほとんどの人が、この二つの問題をごっちゃにしています。「腹が立った」（怒りという感情が湧いた）ときには、もう即座に相手への反応――「あの人はこう言った」「こんなことをしてきた」――という思いで一杯です。あとは怒りの感情と「自分が正しい」「相手はこうすべき」という判断をぶつけ合うだけ。こうして、終わりのないバトル（悩み）に突入します。

よく「人間関係が悩みの種だ」と言いますよね。でもその言い方は、ブッダの考え方にてらせば、不正確なのです。というのは、「感情に悩まされている」というのと、「相手とどう関わればいいのか」は、別の問題だからです。

「感情」という自分サイドの問題と、「相手との関わり方」を分けて考えましょう。まずは「感情」のほうの解決策を、ブッダに学んでみましょう。

◆反応しないことが「最高の勝利」

「ムダな感情を防ぐ」上で、一番重要なのは、最初から「反応しない」という前提に立つことです。〝反応しない達人〟であるブッダに、こんなエピソードがあります。

ブッダは、その名の通り〝目覚めた人〟として、当時のインドで日増しに有名になっていきました。何百人もの弟子を抱える高名なバラモンでさえ、ブッダの弟子になる者たちが出てきました。インドでは、今も昔も、カーストが絶対的な意味を持っています。ブッダのカーストは、バラモン（司祭階級）より下の〝クシャトリア〟（武士階級）でした。そのブッダに、最上位カーストのバラモンが弟子入りするというのは、当時はかなりショッキングな事件だったのです。

あるとき、ひとりのバラモンが、自分と同じ姓を持つバラモンがブッダの弟子になったことを耳にしました。プライドの高いバラモンには、これが許せませんでした。ものすごい剣幕でブッダのところに押しかけ、弟子や訪問者たちが大勢いる目の前で、言葉のかぎりを尽くして誹謗中傷を浴びせました。辺りには並ならぬ緊迫が走りました。

ところが、ブッダは、静かに、こう返したのです。

「バラモンよ、あなたが自宅でふるまったごちそうを客人が食べなかったら、それは誰のものになるか？」

質問されれば、答えざるを得ません。バラモンは「それは当然、私のものになる」と答えました。

「あなたは、その食事をどうなさるか？」

「それは自分で食べるだろう」とバラモンは答えました。

すると、ブッダはこう言ったのです。

もし罵る者に罵りを、怒る者に怒りを、言い争う者に言い争いを返したならば、その人は相手からの食事を受け取り、同じものを食べたことになる。

わたしはあなたが差し出すものを受け取らない。あなたの言葉は、あなただけのものになる。そのまま持って帰るがよい。

——罵倒するバラモンとの対峙　サンユッタ・ニカーヤ

ここで「食事」とは、バラモンがぶつけてきた非難の言葉です。もし相手の言葉に反応して言い返せば、自分も同じ反応をした——食べた——ことになってしまう。だから決して「受け取らない」。つまり「反応しない」というのです。

ブッダは、ふつうの人なら腹を立てるようなことを言われても、「無反応」で返しました。というのも、「苦しみのない心」を人生の目的とする以上、「反応して心を乱されることとは無意味である」と、はっきり知っていたからです。どのようなときも決して反応せず、ただ相手を見すえて、理解するのみ——その立場に徹していたのです。

このブッダの合理的態度から学べることは、**「反応しないことが最高の勝利である」**という理解です。

仏教における勝利とは、相手に勝つことではありません。「相手に反応して心を失わない」ことを意味するのです。

◆「相手にゆだねる」が人間関係の基本

もう一つ、このエピソードから学べることがあります。それは**「相手の反応は相手にゆだねる」**という考え方です。

このバラモンには、「自分のほうが上のカーストだ」という傲慢と、名を知られたブッダへの嫉妬と、「この男を打ち負かしてやろう」という敵意があったはずです。

これに対して、ふつうなら「なんて失礼な」「それは違う」「そういうあなたはどうなんだ」と言い返したくなるところです。人間同士のケンカは、つねに慢と慢とのぶつかり合い。どちらにも「正しい」（と本人は思っている）言い分があります。その言い分を押し通して、自分の正しさを確認する――それが言い争うときの心理です。

しかし、ブッダは違う考え方をします。まず「正しさ」は、人それぞれに違うものだと理解します。「正しい」という判断は、本人にとっては間違いなく「正しい」のだから、相手の言い分は否定しません。「わたしのほうが正しいのだ、わかったか」という「説得」もしません。「あなたにとっては、それが正しいのですね」と、ただ理解するだけです。

「そうは言っても、白黒つけないといけないときもある」と思うかもしれませんが、それはこの後に取り上げる「相手との関わり方」の問題です。ここではまず「反応しない」心の作り方を考えましょう。

そもそも人は、持っている「脳」が違います。だから、考え方が異なるのは当然のことです。人は「相手は自分と同じ考えのはず（同じ考えを持てるはず）」と、心のどこかで思っているものですが、この期待・思い込みは「妄想」でしかありません。

そのうえ「自分は正しい」という思いには、〝慢〟（自分を認めさせようという欲）も、つねに働いています。だから異なる意見をぶつけられると、自分自身が否定された気がして、怒りで反応してしまいます（だから自信がない人ほど怒りやすいのです）。

こうした精神状態は、妄想と慢という「非合理な発想」に囚《とら》われた状態です。リセットして、「正しい理解」に立ってみましょう。それは、「相手の反応と、自分の反応とは、まったくの別物なのだ」という理解です。

相手と自分の反応を分けて考える。相手の反応は相手にゆだねる――これが、人間関係で悩まないための基本です。

◆悩みを「半分にする」方法がある

相手の反応を相手にゆだねてしまったら、「悩み」は半分になります。あとは「反応しない」ように努めれば、感情で悩むことはなくなっていくかもしれません。

とはいっても、「どうしても反応してしまう」という人は多いでしょう。ついカッとなってしまう。つい言い返したくなる――なんとか「反応しない」コツはないものか。

そこでお勧めできるのは、**「心の半分を前に、もう半分を後ろに使う」という方法**です。

まずは、心を「前と後ろ」に分けてください。目を閉じてみて、①前のほうを向く心と、②心の内側（奥・後ろ側）を見る心をイメージしてみるのです。

前を見る心は、そのまま相手を見ることに使います。反応はしません。「ただ理解する」という立場に立ちます。相手をただ見て、その言葉が理解できるかどうかだけが問題です。

相手の言うことがわかるなら、「わかります」。もしわからなければ、よく聞くか、「今はわからない」と理解します。

「あの人が言っていることはまったくわからない！」と思うこともあるでしょう。ただ、日本語を話しているのなら、言葉としては理解できるはずです。もしかしたら、そのわからなさは、自分自身が「理解を拒んでいる」ことにあるのかもしれません。「自分が正しい」という思い、「こうしてほしい」という相手への期待・要求、「そういえば前にも同じことを言われた」といった過去への妄想が、アタマに渦を巻いていて、相手をありのままに、冷静に見ることができないのかもしれません。

「わかりたくもない！」相手もいますよね（親子や、相性の悪い上司などでしょうか）。ただそういう相手に対してこそ、「反応しない」というクールな前提に立って、「言うことはわかります」「どうしたいのでしょうか（何を求めているのでしょうか）」という客観的な状態に立ってみるのです。

このとき、後ろ側（奥）にある心では、自分の「反応」を見ます。怒りを感じているか。過去を振り返っていないか、緊張や、相手への疑い・妄想が湧いていないか――。

そういう反応があること自体は、ふつうです。ただ、心の態度・心がけとして、つねに「心の後ろ半分は自分の心を見る」ことに使うのです。

禅の世界に「不動心」と呼ばれる心がありますが、これは、自分の心を見る、見張る努力によって、はじめて可能になるものです。そもそも心は、最後まで――死ぬか、修行のゴールである〝涅槃《ねはん》〟（さとり）に達するかまで――動きつづけます。心が動くのは当たり前。その動きつづける心を見張って、よく気づいて、それ以上の反応を止める。それが「不動心」の中身なのです。

わずかでも、後ろ半分の「気づきの心」がぐらつくと、相手への「反応」に一気に流されてしまいます。あとは、怒り、緊張、怯え、恐怖、疑念、記憶、妄想、悲しみ……といった煩悩の波にのまれます。泣くか、恨むか、「ひどい」「ふざけるな」「ああもう、くやしい」という、あのおなじみの反応の嵐に巻き込まれてしまうのです。

だから、最初から不快な感情が湧かないように、なるべく反応しないようにと努めるのです。心がけていれば、だんだん不動心――反応しない心――が育っていきます。

◆なぜ、ヤクザの男は涙を見せたのか

都内の某公園で、ホームレスの人たちへの炊き出しを手伝っていたときの話です。

ある朝、ボランティアスタッフの人たちが、顔を強張《こわば》らせて走ってきました。「暴れている男がいます！」。急いで会場のほうに向かいました。

二〇〇人を超えるホームレスたちが遠巻きに見ている中、ひとりの男が、酒を飲んで暴れていました。上下真っ黒のスポーツウェアで、右袖に「仁・義・礼・智・信」という真っ赤な筆文字。日焼けした丸刈りの生え際には、剃り込みが入っています。誰が見ても「そのスジの人間」とわかる男でした。

男は、テーブルに準備した大きなカレー鍋のほうに、ずんずんと歩いていきます。「こんなもん、ひっくり返したる！」と叫んでいます。

男の前に、私は立ちました。男は目を剝《む》いて、怒声を浴びせてきました。

「オイ、コラ、坊主、ワシにケンカ売っとんのか？」

「まあ、話しようや」と、笑みを向けて話しかけました。

「オマエらがやっとる炊き出しなぁ、こんなもん、偽善とちがうか？」

「偽善かもしれんなぁ」

「オマエらに一体何ができるっちうんじゃ？」

「なんもできんかもしれんなぁ」

けして相手を否定せずに、ただ理解することに努めます。そのうち、警官が五人やってきました。スタッフが連絡してしまったのです。

「誰や、オマワリ呼んだんは！」と男は逆上して、警官たちにもケンカを売り始めました。しばらく押し問答をしていましたが、さすがに警官には勝てません。男は腕を引かれて、署まで連れて行かれそうになりました。

私は、男と警官たちの間に立って話を聞いていました。動き始めた男は、じっと私を見つめて、こう言ったのです。

「ワシのかあちゃんな……刑務所、はいっとるんや」

男の細い目から、涙が流れだしました。

「そうか――会いにいったことあるんか？」

「ない」と震えた声で言います。「手紙は書いたことあるか？」と聞くと、

「ワシは、文字が、よう書けんのじゃあ」と、声をあげて泣きじゃくりました。

「わかった、じゃあ私が書いたる。今日、警察署から戻ってきたら、一緒に書こうや」

「書いてくれる？」と、しおらしく聞いてきます。「でも、なんて書いたらええか、わからん」とまた泣きます。

「生んでくれてありがとう、でええんや。一緒に書こうや。待ってるからな」

男は、おとなしく署へと連れて行かれました。

その夜、彼と無事、再会を果たしました。聞けば、中学も出ておらず、文字が本当に書けませんでした。母親も、父親も、苦しい人生を背負っているらしく、もう二十年近く会っていないといいます。暴力団の下請けのような仕事で日銭を稼いで、酒で寂しさを紛らわすという荒《すさ》んだ生活をしていました。真夜中までいろんな話をしました。その日以来、彼と私は友人になったのでした。

あの朝、もし私が怒りや敵意といった感情で、男に「反応」していたら、その場がどうなっていたかわかりません。男の「涙」も決して見ることはなかったでしょう。

男は、今もときどき連絡をくれますが、ここまでつながりが保てているのは、やはりあのとき、ブッダが教える「反応するな、まず理解せよ」という態度をつらぬけたからのように思えるのです。

生きていれば、てごわく、厄介な相手にも、遭遇しますよね。

ただ、もしこちらが相手と同じ反応を返せば、相手との反応の応酬になってしまいます。

このとき問題は、相手に負けないことや、我《が》を通すことではありません。反応することで確実に「自分の心を失う」ことなのです。

「つい反応してしまう」状況にあってこそ、あえて大きく息を吸って、吐いて、覚悟を決めて、相手を「ただ理解する」ように努めましょう。そして、心のもう半分を、自分の内側の反応を見ることに使うのです。

それは決して簡単ではないかもしれません。しかし自身の心を失わないために、そして、もしかしたら相手とわかり合えるようになるかもしれない〝可能性〟のために、必要なことかもしれないのです。

心の半分は、相手への理解に、心のもう半分を、内なる反応に気づくことに使う――これを向き合い方の原則にしたいものです。

「困った相手と「どう関わるか」」

感情で「反応しない」心がけの次は、「相手とどう関わるか」です。

「関わり方」とは、仏教的にいえば、「相手にどんな心を向けるか」ということ。ブッダの考え方の特色として、つねに自分自身の心の持ち方、考え方を問うところがあります。「相手に向ける心を確立する」ことで、人間関係で苦しまない生き方が可能になります。

◆相手のことを「判断」しない

最初に、相手との関わり方の原理原則をまとめてみましょう。

①相手のことを「判断」しない

②過去は「忘れる」
③相手を「新しい人」と考える
④「理解し合う」ことを目的とする
⑤「関わりのゴール」を見る

「相手を判断しない」というのは、すでに学んだ「判断しない」の実践です。

マイナスの感情が湧いたとき、相手のことをやたら「判断」したがります。「なんてイヤな人だ」とか、「まったく自分勝手な人だ」とか、「あきれた」「やる気なし」「いつも同じことばかり繰り返して」「こうなったら絶交（離婚）だ」と、あれこれと結論を出したがります。

たしかに、そうした判断には一理あるかもしれません。実際、誰が見ても「愚かな人」は、存在するものです。

ただ、こうした判断は、ちょっと危うい感じがしないでしょうか。

というのは、判断はいつも、自分自身の承認欲、つまり「慢」とつながっているからです。相手に「ダメ出し」する。「ああ、困った」と嘆いて見せる。そのことで、「自分は正しい」と確認したり、相手への優越感を覚えていたりします。

心の内側を見つめて、なるべくクリアな心を保つという〝仏教的な〟生き方にてらせば、人間にとって一番大切なのは、「心に苦悩を溜めない」ことです。どんな幸福感も、苦悩（という反応）によって、いつも台無しになってしまうからです。

「しなくていい判断は、しないほうがいい」ことになります。

とすれば、苦しみを引きずることになる相手への判断も、ないほうがよいのです。相手のことを思い浮かべて、「あの人はここがダメ」とか「あんな性格ではきっと苦労するに違いない」と判断しつづけることは、自分自身にマイナスなのです。

もちろん、相手に「気の毒」でもあります。「相手と理解し合える可能性」も、減っていきます。今は難しいかもしれませんが、お互いをわかり合う可能性は、いつも残されているものです。しかし、もし相手への判断、断罪、結論を出しつづければ、その可能性を殺してしまうことになりかねません。

判断には、さまざまなマイナスがあります。相手が身近で、大切な人であればあるほど、余計な判断はしないにかぎります。

これこそが正しいと主張することを、わたしはしない。
見解への執着を、ただの執着であると理解して、
他者が陥るあやまちをあやまちとして理解しつつも、囚われることはない。
わたしは自らの心の状態を見つめて、心の平安と澄明《ちょうめい》さを保つ。

——スッタニパータ〈あるバラモンへの返答〉の節

◆過去は「忘れる」——記憶を相手にしない

もう一つ大切なことは、過去を引きずらないこと、忘れることです。人は、過去の出来事をいつまでも覚えていて、相手にも、その記憶を通して向き合ってしまいがちです。ただ、その記憶が「またか」という反応とともに新しい怒りを誘発してしまいます。

あの人は、わたしを罵った、わたしを否定した、わたしに勝利した、わたしは奪われた、と思いつづける人は、〈記憶に反応して怒りつづけているのだから〉怨みが止むことはない。

——ダンマパダ〈ひと組の詩〉の章

「過去を引きずる」というのは、仏教的には「記憶に反応している」状態です。ここは大切な点なので、ぜひ理解してください。

たとえば、相手と言い争ったとします。最初の「怒り」の対象は「相手」かもしれません。でもその場を離れてもなお、相手のことがアタマから離れず、ムシャクシャ、モヤモヤ、イライラしているとしたら、その原因は「相手」ではありません。自分の中の「記憶」です。

過去を思い出して、「記憶」に反応して、新しい怒りを生んでいる――それが、いつまでも怒りが消えない本当の理由です。その怒りに実は、「相手は関係がない」のです。

もし仏教を実践して、「反応しない達人」になれたら、どんなバトルを繰り広げても、トイレに入っただけで、あるいは相手の向こうにある「部屋の壁」を見るだけで、「怒りが消える」ようになるかもしれません。これは大げさなようで大げさではありません。少なくとも、帰り道では、「過去は過去」と割り切って、すっきりできるようになります。

もしイヤな記憶がよみがえったら、その記憶への「自分の反応」を見てください。相手と別れてもなお腹が立って止まらないときは、「これはただの記憶」「反応している自分がいる（相手は関係ない）」と冷静に理解して、感情を静めるように心がけましょう。

相手はいつでも「初めて会った人」

「記憶は記憶。思い出しても反応しない」――これは、仏教を学んで得られる最高の智慧かもしれません。

もう一つ、相手と向き合うときの智慧があります。それは、相手を「新しい人」と考えるということです。

仏教では、人も心も〝無常〟――うつろいゆくもの――ととらえます。

わかりやすい例を挙げてみましょう。今試しに、目を閉じて、「一つのこと」を考えつづけようとしてください。進行中の仕事のことでも、将来の計画のことでもかまいません。タイマーで「五分」と時間を決めて、その間、ただ一つのことを考えつづけてみます。

タイマーが鳴ったときに、「何を考えているか」を確認してください。まずほとんど、始めたときとは違うことを考えているはずです。

驚かれるかもしれませんが、心理学の一説には、心は一日に「七万個」もの想念を思い浮かべるのだそうです。「約一・二秒で一個の思い」です。心というのは、それくらい目まぐるしく回転しつづけているのです。これは「心は無常である」ことの一つの例です。

心が無常なら、人も当然、無常です。

私たちは、自分も、相手も、「昨日と同じ人物」だと思っています。昨日会った人は、今日会っても、同じ人。でも実はその人は、背格好や、名前や、仕事や、住んでいる場所は同じかもしれませんが、本当は「別人」なのです。だって「心は変わっている」からです。

心が変わっているなら、「同じ人」だと、どうしていえるでしょうか。私たちには、過去の記憶もあるし、「あの人はこういう人」「わたしはこんな人間」という判断があります。だから、互いに「変わらないあの人」として関わっています。

しかしそれは思い込み、関係を続けるための暗黙のルールみたいなもので、本当は「今は別の心の状態の、別の人間」なのです。

自分自身さえ、心はコロコロと変わりつづけています。相手だって同じです。人は、互いにコロコロと変わりつづける心で、いつも新しく向き合っているのです。

こうした理解に立つと、相手はつねに「新しい人」になります。「過去にあんなことをした、こんなことを言われた相手」というのは、こちらの「執着」。本当は、「まったく新しい人として向き合う」ことだって、選べるのです。

「次に会うときは、新しい人として向き合おう」というのを、二人の間のルールにしておくのもいいかもしれませんね。

その人と「一緒に理解」する

もう一つ大切なことは、「相手と理解し合う」ことを最終ゴールにすえることです。人と関わるときに大事なのは、「反応しないこと」だと学びました。しかしこれは、相手に無関心でいるとか、「我慢する」ことではありません。

ときどき、相手に苦痛を強いられているのに「我慢している」人がいます。「相手に迷惑をかけてはいけない」「関係を壊したくない」「職場の雰囲気を悪くしたくない」といった、やさしさや配慮から、じっと耐えているのです。

ただ、「我慢する」というのは、正確には、相手に我慢しているのではなく、「自分の怒りを抑え込んでいる」状態なのです。すでに怒りは湧いてしまっているのですから、そのまま我慢しつづけると、ストレスが溜まって、どんどん苦しくなります。鬱にだってなりかねません。

こういうときこそ、「心の前半分を相手への理解に、後ろ半分は自分の反応を見る」ことに努めて、なんとか反応したがる心に負けないようにしたいものです。

もう一つ大切なのは、「理解し合うこと――理解を共有すること――が大事」という前提に立っておくことです。

自分自身の感情、思い、考えを、相手に理解してもらうこと。これほど大切なことはありません。

「わたしはこう感じている」「こう考えている」ということを、伝えること、相手に理解してもらうこと。それを目的にすえるのです。

もし相手が理解しようとしない、聞こうとしないのなら、それはもはや、関わる意味のない相手なのかもしれません。どのような関係であれ、一方的な苦痛に耐えなければいけない関係は、存在しないはずだからです。

ただ、伝えることで相手が理解してくれる可能性があるなら、「理解してもらう」ことを目的にすべきです。伝えること。説明すること。

「こういうことはやめてほしい」と思うなら、「やめてほしい」と伝えることです。そこまでが自分自身にできること。それを相手がどう受け止めるかは、相手の領域です。様子を見ることにしましょう。

大切なのは、「理解してもらうこと、理解し合うことが大事なのだ」という理解です。

理解し合うことには、時間がかかるものです。急ぐ必要はありません。「いつかわかり合える（わかってくれる）」という楽観・信頼を持って、向き合うことです（信頼するというのは、相手は関係なく、こちらの〝選択〟です）。

相手への感情は、理解し合えたときにリセットされます。そのとき、関係も変わります。

◆仏教で考える「人生の方向性」の話

最後にもう一つだけ、ときどき思い出してほしいことを、お伝えしておきます。

仏教では、〝方向性〟をよく考えます。自分はこれからどんな人生を目指すのか、という方向性。相手とどう関わっていくのか、という方向性です。

相手とわかり合うことも、一つの方向性になります。自分の気持ちを理解してもらうことも、方向性です。

方向性として「あってはならない」ものが、相手と苦しめ合うこと、憎しみ合うことです。そのような関係は、人生の目的にはなりませんよね。

人はときどき、苦しめ合う関係を、ずっと繰り返すことがあります。関わることの目的を確かめようともせずに、ただ自分の期待、思惑、都合、要求、過去へのこだわりに執着して、「正しいのは自分で、間違っているのは相手」と、いつまでも思いつづけるのです。

ここでも、ブッダが語った、「執着こそが苦しみを生んでいる」という理解に戻るべきです。ただ言葉で理解するのではありません。実感として、「苦しめ合っている」という事実に目を醒ますのです。そして、こう考え直してください。

苦しめ合うために、関わっているのではない。
理解し合うために、お互いの幸せのために、関わっているのだ。

大原則――〝快〟を大切にしていい

感情には、もう一つ、大事な原則があります。「快を大切にする」ということです。
人はみな「幸せになりたい」と考えるものですが、「幸せ」とは何でしょうか。
「心の状態を見る」というブッダの考え方にてらせば、幸か不幸かは、〝快〟か〝不快〟かという心の状態で定義することになります。

快――喜びや楽しさ――を感じている心の状態が、「幸せ」です。
不快――怒りや怖れ、満たされなさや不安など――を感じている心の状態が「不幸」です。

これは仏教独自の理解かといえば、そうではありません。原始生物のなかには、エサを食べるとき（快）と、危険に遭遇したとき（不快）とで、違う色の光を出す生き物がいるそうです。高等生物になると、分泌されるホルモンに違いが出ます。つまり、生き物全般が〝快〟か〝不快〟かという反応の世界を生きているのです。

人間も同じです。赤ちゃんは、心地よければ笑うし、気持ち悪ければ泣きますね。人生もまた、快か不快かという反応から始まっているのです。

ちなみに、仏教では、快のことを「楽」、不快のことを「苦」と表現します。「不苦不楽《ふくふらく》」という言葉もあります。要は「快・不快のどちらでもない状態」のことです。

ただ「快でも不快でもない状態」というのは、人間にとってはすぐに「不快」になります。欲に駆られている人間には、「どちらでもない状態」は「退屈」、つまり不快になってしまうのです。

いずれにせよ、人間の心の状態は「二者択一」です。私たちの人生は、「快か不快か」の二つの間を揺れ動きながら、進んでいくのです。

とすると、私たちの暮らしのルールは、次のようになります。

幸せになりたいなら、「快の反応」を大事にしよう。

不幸になりたくないなら、「不快な反応をしない」ように努力しよう。

えっ！　欲を追いかけてもいいの？

では「快の反応を大事にする」とは、具体的にどうすることでしょうか。

生き物が〝快〟を感じるのは、欲求が満たされたときです。だから、**欲求を素直に、否定することなく、満たしてあげることが、幸せへの近道**ということになります。

たとえば、食べたいものをおいしく食べる、快適な睡眠をとる、家族と楽しくすごす、趣味や娯楽など五官の快楽を大切にする。「おいしい」「楽しい」「心地よい」という反応を、積極的に行おう、と考えることになります。

こう言うと、「仏教は禁欲を奨励する厳しいものと思っていました」と言う人がいます。

たしかに、「心を清浄にする修行」をつきつめて、究極の安らぎ――心の反応が滅した〝涅槃〟と呼ばれる境地――にたどり着こうとすれば、快も不快も含めて、一切の反応をしてはいけません。仏教には、そういう厳しい世界がたしかにあります。

しかし、そういう境地を目指すというのは、一つの方向性ではあっても、すべての人に共通する目標とはいえませんよね。目標を一つに限定して、みんなをそこに向かわせようという発想は、「宗教」です。しかし私たちに共通するのは、一人ひとりが苦しみを抜けて、それぞれの幸福にたどり着くという目標です。その方向にてらして考えれば十分です。そもそもブッダの教えというのは、そういう開かれた目的を掲げていたものです。

欲だって「活かしよう」

「自分が快を感じるかぎり、欲求も大切にしていい」と考えるなら、承認欲（認められたいという願い）も「活かし方次第」ということになるでしょう。

たとえば「仕事で評価されたい」「人に感謝されたい」「ほめられたい」という願いがやる気を刺激してくれるなら、その欲求を否定する理由は、少なくともその人にとっては存在しないはずです。

だから、もしあなたの中に、やってみたい、チャレンジしたいことがあるなら、その欲求は大切にしてください。その動機が、仮に「おカネを稼ぎたい」とか「人より上に立ちたい」「競争に勝利したい」といった「煩悩」であっても、目指すことに「快」があるなら、大いにやってみることです。

ただし――ここで一つの条件がつきます。というのは、欲求の満足が幸せにつながるのは、本人が「快」を感じられる場合だけです。逆に、もし欲が膨らみすぎて、「焦り」とか「不安」とか、「結果が出ない」「頑張っても認めてもらえない」という不満になってしまうのなら、その欲求はいったん手放さないといけません。「苦（不快）を感じたら仕切り直しなさい」というのも、ブッダの思考法です。

人の人生はつねに、「欲に駆られて不快を感じている姿」と「快を大切にする姿」とに、分かれるのです。

欲求を生きるエネルギーに変えて「快」を感じる生き方は、合理的です。

ムダな欲求に手を伸ばして、振り回されて「不快」を抱えている生き方は、不合理です。人は誰だって、幸せに生きたいものです。ならば、「今、快を感じているか、不快を感じているか」を、よく観察しましょう。「不快」を感じたら、ブッダに倣って、反応をリセットするように心がけましょう。

◆〝快〟を増やせ、〝不快〟を減らせ

心の反応は、「心がけ」次第で、強くもなり、弱くもなります。もしあなたが毎日の「快」を大切にして、楽しいときは「楽しい!」、心地よいときは「心地よい!」と、素直に感じ取るように努めていると、「快」は、もっとはっきりと、鮮明に感じ取れるようになります。

幸福も、心がけ次第で増やすことができるのです。

私自身も、修行僧として、日々「感じ取る」心がけ――禅・サティ・気づき――を実践しています。全身の感覚、足の裏の感覚、腹部のふくらみ・縮み――カラダのすみずみにまで、意識をめぐらせています。すると、退屈しないのです。いつも心は新鮮です。

快を増やせ。不快を減らせ。

そうして、快適な人生を作っていきましょう。

第4章

他人の目から「自由になる」

他人からの評価を「追いかけない」

「あの人にどう思われているのだろう？」と気になることは、誰にでもありますよね。

ただ、他人の目が気になってしまうというのは、しんどいものです。

いつもオドオド、びくびくとしていなければいけません。他人の目が気になるあまりに、緊張、プレッシャーを抱え、大事なところで失敗します。人の何気ない言葉にグサリと傷つき、視線が合っただけでも「笑われている？」と疑心暗鬼になったりします。

他者の視線など気にせず、ありのままに振る舞えるようになりたいものです。

〝究極の自由人〟ブッダならば、こう考えることになります——。

◆「他人の目が気になる」の正体

他人の目を気にしてしまうのは、なぜでしょうか。これは逆に、他人の前で「安心できる」状況を想像すれば、わかります。たとえば、「この人は自分を好きでいてくれる」「高く評価してくれている」と信じられれば、安心できますね。

ということは、他人の目が気になる心理の正体は、やっぱり「承認欲」なのです。

たとえば、ある人は、五人兄弟の上から二番目という（中途半端な？）ポジションに生まれました。そのため親にあまり「かまってもらえなかった」といいます。そのせいか、注目されたい気持ちが強く、ファッションに気を使い、ソーシャルメディアで人脈作りに励んで、自他ともに認める「社交家」になりました。でもいつも「自分はどう思われているのだろう？」という不安で心は一杯だそうです。その原因は、やはり承認欲にありそうです。

承認欲があるのは、当たり前です。問題は、そこからなぜ「他人の目を気にしてしまう」のかの理由、つまりプロセスです。①「認められたい」（自分の価値にこだわる）欲求がある⇒②その欲求で反応して、「どう見られているのだろう」と妄想する――こう考えると、理由が見えてきます。つまり〝承認欲が作り出す妄想〟――それが「気になる心理」の正体です。

「職場でどう評価されているのか」「嫌われたのではないだろうか」「今回の件で信用を失ってしまったのではないだろうか」――こうした不安はどれも、自分の価値へのこだわりが生み出す妄想です。

妄想が過剰になると、「思い込み」になります。嫌われている、陰で笑われている、悪口を言われている。「なぜかわからないけど、他人の目が恐くてたまらない」「周囲の人が敵に見える」という人もいます。

つらい状況ですよね。本人には、本当にそう見えてしまうのですから、厄介な悩みです。

こうした悩みを抜け出すコツは、どんな思いも「妄想にすぎない」と、はっきり自覚することです。

◆妄想という「脳のデタラメ」を真に受けない

妄想への対処法として、いくつかわかっておくべきことがあります。

一つは、「妄想には際限がない」ということです。妄想は、どんなに最悪なものでも、簡単に思い浮かんでしまうものです。破廉恥だったり、残酷だったり、人には決して言えないようなイケナイ妄想でも、脳はたやすく作り出してしまいます。これは「夢」の世界も同じです。

そもそも脳は、見聞きしたすべての情報を〝反応の記憶〟として取り込んでいます。見たもの、聞いたもの、本人は気づいていないことさえ、実は脳は反応して、記憶として蓄積しているのです（これは修行中、深い禅定《ぜんじょう》――超高度な集中状態――に入っていくと、見えてくることがあります）。

しかもそれぞれの記憶が、複合して「見たことのない妄想」を作り出すこともあります。そのときどきの、怒りや憂鬱や疑いなどの精神状態がはたらいて、本来なんでもないことを「悪く解釈する」（思い込む）こともあります。

私が以前、仏教講座で聞いた例では、「幼い頃に迷子になった」体験が、「両親が事故で死んでしまった」という夢になったという人がいました。「母親に叱られた」夜に、「母親に包丁で殺されかけた」という夢を見た人もいます。

笑うに笑えない話ですが、夢や妄想というのは、こういうデタラメをよくやるのです。

今の時代は、ネットやマスメディアを通じて、煩悩を刺激するさまざまな映像や情報が、いくらでも飛び込んできます。そうして心にインプットされた〝反応の記憶〟は、自分でも予期しない形で脳裏によみがえってきます。

ただ、それらは全部「妄想」です。真《ま》に受けるに値しないものだと、最初に知っておきましょう。

「妄想は妄想にすぎない。何が思い浮かんでも反応しない」という覚悟が、大事なのです。

確かめようのないことは放っておく

もう一つわかっておきたいのは、**「妄想には確かめるすべはない」**ということです。

人間は、妄想や夢を見ると、「これには重大な意味があるのではないか」「何か理由があって見えたのではないか」と考えたがります。

たしかに意味がある可能性は否定できません。ただ重要なのは、「その妄想を確かめるすべはない」ということです。無理して確かめよう、信じようと思えば、妄想の領域に踏み込んでいくしかなくなります。ただ、その分、確実に「正しい理解」は遠くなってしまいます。

妄想を追いかけるか、正しい理解にとどまるか――〝考え方〟としてどちらを採るか、です。ブッダの思考法は、後者を採ります。

ちなみに、宗教を初めとする精神世界と、仏教――ブディズム（Buddhism）と呼ばれる〝目覚めた人の思考法〟――との最大の違いは、「妄想に意味を見るか」どうかにあります。

心を扱う多くの世界では、「確かめようのない」内容を真理として説きます。宗教も、オカルトも、占いも、「仏教」とひとくくりに呼ばれている思想の中にも、それはあります。

しかしブッダの思考法――おそらくかつて実在したブッダ自身の立場――は、「確かめようのないこと」は、最初から取り上げません。

その理由を、ブッダ自身が明確に述べています。

世界は永遠か、終焉があるか。有限か、無限か。霊魂は存在するか、しないか。死後の世界があるか、ないか。私はこれらのことを、確かなものとして説かない。

なぜならそれは、心の清浄・安らぎという目的にかなわず、欲望ゆえの苦痛を越える修行として、役に立たないからである。
私は、これらの目的にかない、役に立つことを、確かなものとして説く。
それは、生きることは苦しみを伴う。苦しみには原因がある。苦しみは消すことができる。そのための道（方法）があるということ――四聖諦《ししょうたい》――である。

――弟子マルンキャプッタへの教え　マッジマ・ニカーヤ

ブッダのこの徹底して合理的な態度こそ、現代において大事にすべきです。どんな苦しみであれ、「前世」や「死後の世界」といった「確かめようのないこと」は追いかけない。それは「苦しみを解《と》くのに必要がない」というのが、本来のブディズム（ブッダの思考法）なのです。

確かめようのないことをどこまで追いかけるかは、あなた次第です。

ただ大切なのは、自分自身の人生の「目的」を、はっきりさせることです。

仏教の目的は、人間が抱える現実の苦悩の「正体」を理解して、その苦しみから解放されること、自由になることにあります。

その方法として、禅やヴィパッサナーと呼ばれる「心を理解し、浄化するための方法」

があり、「慈しみ」を初めとする、いくつかの思考の核（仏教の本質）があるのです。

これらの方法を実践して、現実の苦しみを解決していく――それ以上の目的が、必要あるでしょうか。

「妄想を追いかける」ことは必要ありません。むしろ、自分の心をよく理解するように努め、合理的な考え方・理解の仕方を学んでいくことです。あなたの苦しみが、「この人生」の中で生じたものである以上、この人生の中で必ず解決できます。そう信頼しましょう。

他人の目が気になる人にとって、「妄想をやめる」ことが最優先課題です。なぜなら、妄想グセこそが、「他人の目が気になる」という悩みの元凶だからです。

いっそのこと、「妄想への向き合い方」を、ここで確立してはいかがでしょうか。

「妄想は妄想にすぎない」
「妄想には際限がないし、根拠もない」
「わたしはこれ以上、妄想を追いかけない」という立場に立ってしまうのです。

大丈夫、そのうち必ず、心が自由になる瞬間がやってきます。

「うっとうしい相手から「距離を置く」」

「他人の目が気になってしようがない」という心理には、「特定の人間」が影響していることがあります。「人の視線」というのは、実は「一人の人間のまなざし」であることがあるのです。

それがわかったとき、長年にわたる悩みが一気に解消されることがあります。

◆なぜ「いつもイライラ」してしまうの？

ある女性は、こんな悩みを抱えていました。「人付き合いが面倒くさくてたまりません。友だちから電話で最近元気？　なんて聞かれると、放っておいて！　と思ってしまいます」。

この女性は、病的に干渉してくる母親のもとで育てられました。幼い頃から、どの友だちと付き合うか、どの稽古事をやるか、服の色や髪型から、なんと本を並べる順序や宿題の順番までチェックされるという干渉ぶりでした。

　十代の頃は自分の思いを伝えようとしたと言います。しかし母親は、娘が意見するとヒステリーを起こして暴れ出し、手がつけられなくなりました。彼女は耐えに耐えて、大学卒業後に、ようやく親元を離れました。

　この女性は、仕事はよくできるのですが、心の中にはいつもイライラがありました。自分の仕事の一つひとつが周囲にチェックされている気がするのです。表面は笑顔でいますが、内心は「ああ、うっとうしい」「みんな邪魔」「全員、いなくなれ」という不満が渦を巻いていました。休日になるとようやく解放された気がして、ひたすら布団にもぐって寝るという生活でした。そういうときに、友人や母親から電話がかかってくると、もうそれだけでキレてしまうのでした。

　この女性のストレスは、仕事や人間関係が原因なのではありません。本当は、心にいつも漂っている「母親の影」――つまり母親に干渉された記憶と、怒りの感情――とが理由なのです。

◆怒りを〝結生〟させないために

仏教には「心の反応は連鎖する」という発想があります。伝統的には〝縁起論《えんぎろん》〟と呼ばれていますが、心のからくりを理解するために、いっそう「本質」が浮かび上がるように表現すると、次のようになります。

無明《むみよう》（無理解）の状態において、心は反応する。刺激に触れたとき、心は反応して、感情が、欲求が、妄想が結生《けつしよう》する。結生した思いに執着することで、ひとつの心の状態が生まれる。その心の状態が新たな反応を作り出す。その反応の結果、さまざまな苦悩が生まれる。

——菩提樹下の縁起順観　ウダーナ

つまり、①触れて、②反応して、③感情や欲求や妄想や記憶などの「強い反応のエネルギー」が生まれます。この強い反応を〝結生〟と表現することにします（元のパーリ語では「サンカーラ」saṅkhāra。英語だと「心の形成」mental formationと訳されています）。

これは「記憶に残る」「表情や行動に出てしまう」ような強い反応です。

そして、これらの結生した反応が、新しい刺激に反応して、④同種の反応を作り出す、というサイクルです。

たとえば、外でイヤなことがあった。その（結生した）怒りのせいで、家に帰って小さなことで家族に当たってしまった。あるいは、過去に手痛い挫折を経験した。そのときの（結生した）怒りがずっと燻《くすぶ》っていて、ふとした弾みに火がついて、怒鳴り散らしてしまった。学校でいじめに遭った。そのときの（結生した）記憶が尾を引いて、今も人前で緊張（反応）してしまう――これらは、結生した心がもたらす反応が原因です。

この女性については、「母親に過剰に干渉された」記憶が強く影響していました。蓄積された怒りもありました。その結生した記憶と怒りとが、日常生活の中で刺激を受けて、「うっとうしい」「邪魔だ」「みんないなくなれ」という思いを作り出していたのです。

この結生した反応は、新しい刺激に触れて作動する「地雷」みたいなものです。よくある「怒りっぽい」「やたら神経質」「落ち込みやすい」「対人恐怖症」といった気質の奥には、こうした〝結生した反応〟があったりするのです。

だとしたら、その存在に気づくことが、とても大切になります。一般には、カウンセリングや薬を利用して心を静めるという手がありますが、〝結生した反応〟が原因だとすると、それだけでは解決しきれないかもしれません。

むしろ、心には、その状態になるまでのプロセス・経緯があるのだと理解して、一つの反応の背後にある別の反応に目を向けることです。たとえば、「ああ、過去の怒りがまだ残っているのだな」と自覚することです。

心に残っている過去の反応を自覚すると、徐々に影響を受けなくなっていきます。

◆長年の悩みを一気に解消する方法

この女性の場合は、母親に対して結生した怒りと記憶とが、悩みの真の原因です。となると、三つの処方箋が出てきます。

一つは、**「よく気づいて、反応しない」**ことです。もし母親に干渉された記憶を思い出したら、「これは記憶にすぎない。幻にすぎない」と、はっきり口に出して念じます。

「記憶、記憶、記憶（にすぎない）」と、気づきの言葉（ラベリング）を繰り返して、その反応から抜け出そうと努力します。

結生して残っている怒りについても、「自分の中に怒りが残っている」と、よく理解することです。人によっては「こんなことを考えるなんて親に悪い」と罪悪感を覚えたり、「自分がいけないのだ」と自己を責めたりしがちですが、その必要はありません。「怒りがあると、ただ理解する」だけで十分です。

「ああ、怒りが残っている。古い怒りが、まだ働いている」と気づくこと。「心のクセ」「心のビョーキ」だと割り切って、出てくるたびに「気づく」ことです。

「気づく」ことは「手放す」ことへのきっかけになります。心のクセがこの先どこまで出てくるか、観察につきあってあげることにしましょう。

二つめは、**「感覚を意識する」**という例の方法です。体の感覚は、記憶や感情とはまったく別の心なので、感覚に意識を向けると、反応をリセットしやすくなるのです。たとえば幼い子どもは、怒ったり泣いたりしていても、飴玉を口に放り込んだり、楽しいものを見つけたりすると、とたんに機嫌が直りますね。あれは「感情」に反応していた心が、

「感覚」への反応に切り替わった状態です。

大人でも、イヤな記憶を思い出したり、不快な感情に悩まされたりしたときは、「体の感覚に意識を向ける」ことです。外を歩く。スポーツをする。お風呂に入る。この女性の場合は、ホットヨガでした。

三つめは、**「反応の源を断つ」**こと。この女性であれば、「干渉魔の母親」と距離を置くことです。

肉親というのは、結生した心を長引かせてしまう一番の原因にもなります。というのは、お互いに、関わり方のパターン——性格や役割——を確立しているので、いつも「毎度おなじみの」親と子として向き合ってしまうのです。当然、出てくる反応も同じになります。

この反応がポジティブで、快を与えてくれるものならよいのですが、ネガティブで不快な反応を刺激してくる関係だと厄介です。肉親という関係が、苦しみの〝輪廻〟(繰り返し)の原因となってしまうのです。「ふだんは穏やかでいられるのに、実家に帰ると、自分でもイヤになるくらい性格が悪くなるんです」という人もいます。

もしその関わりが、悩みを長引かせている理由なら、きっぱりと距離を置くことです。

しかも「結生」を強めてしまうくらいの関係なら、いったん「関わりを断ってみる」ことも正しい一手です。

なかなか踏み切れない人もいると思いますが、「関わりを断つ」というのは、関係をやり直すのに必要なこともあるのです。理想は、①過去の記憶にも、②現在の相手にも、反応しなくなるまで、距離を置くことです。物理的に、あるいは時間的に、です。

ここでも、「いずれは、理解し合えるだろう」「困ったな。でも、そのうち解決できるだろう」と、大きくかまえたいものです。人の心は無常だし、状況もやがて変わります。「とりあえず、距離を置こう」と考えるのです。

この女性は、いさぎよく「しばらく連絡をとらない」という道を選びました。「結婚したら、また母との関わり方を考えます」と、晴れ晴れした声で語っていたのが、印象的でした。

関わりから愛情が生じる。愛情から苦悩が生じる。
愛情からわざわいが起こることを理解して、犀《さい》の角《つの》のようにただ独り歩め。
――スッタニパータ〈犀の角〉の節

もう較べない。自分のモノゴトに集中！

本当は、「自分のことに集中する」のが一番だというのは、みんなわかっているのです。しかし、つい他人のことが気になって、自分のことが疎《おろそ》かになってしまう。だから悩んでしまうのです。特に「つい他人と較べてしまう」というのは、悩みの種です。

較べない。自分のモノゴトに集中する――そういう割り切りが、できないものでしょうか。独立独歩のブッダのように合理的に考えることで、可能になります。

「比較する」のは非・合理的な考え方

人はなぜ比較したがるのでしょうか。週刊誌で「同世代の平均年収はこれくらい」と知ると、安心したり、落ち込んだり。各界で活躍する人たちを見て、負い目や、焦りを感じたり。心はいつも外を向いて、職業や、地位や、収入や、見た目や、学歴や、評判など、いろんな情報を集めて「自分の位置」を測っています。この心理は何なのでしょうか。

「比較する」目的は、一つです。ここでも「承認欲を満たして安心したい」のです。「自分も捨てたものではない」「自分のほうがマシ」と思いたいのです。

というのも、もし自分で自分を肯定できて、他人に認められたいという気持ちがまったくない心境であれば、「比較する」という発想に心が向くことはないでしょう。

まだ自分を肯定しきれていないから、自分に納得できていないから、自分の価値を確認するために「比較」しているのではないでしょうか。自分を「よし」と判断したいのです。

しかし、「比較」というのは、実は、とても不合理な思考です。

というのは、一つの理由は、比較という心の働きは、そもそも実在しない、バーチャルな妄想でしかないこと——だから、手応え（実感）を感じられません。

二つめは、比較しても自分の状況が変わるわけではないこと——だから、いつまでも安心できません。

三つめは、比較によって安心を得たいなら、絶対・完全に有利な立場に立たなければばいけないが、それは実際には不可能であること——だから、つねに不満が残ります。

こうしてみると、「比較する」というのは、かなり不合理な、不毛な思考です。

それでもなぜ比較に流されてしまうのかといえば、端的に「妄想に慣れているから」ではないでしょうか。

妄想はたやすい。妄想には慣れている。現実は変わらないけど、「較べる」ことならすぐにできる。たまに優越感を持てることもある。だから、つい較べてしまう——。

つまり比較している状態とは、妄想という「ヒマつぶし」と変わらないのです。


人は自らの体験に優れた成果を見て、それ以外の者たちを劣ったものと見なす。

それこそが、苦しみを生む執着であると、賢者は悟る（理解する）。

自分と他人を較べて「等しい」とも、「劣っている」とも、「優れている」とも考えてはならない（それらは新たな苦しみを生むからである）。

——スッタニパータ〈最上なる思考について〉の節

目的を必ずかなえる「正しい努力」とは？

「比較」が、承認欲に始まる妄想にすぎないとすれば、早めに足を洗うことが正解です。本当は、もっと他にやるべきことがあるからです。

「承認欲」を満たしたいなら、そのための「正しい努力」をしましょう。三つの条件があります。

①認められたい気持ちをモチベーションにして、今の仕事・生活を「改善」していく。
②どんなときも「自分のモノゴトに集中」する。
③「自分で納得できる」ことを指針（基準）とする。

あなたが出家でもするつもりがないかぎり、承認欲は大切にしてよいと思います。「ライバルに負けたくない」「勝ってプライドを守りたい」「評価してもらえるような成果を上げたい」「もっと能力を磨きたい」――それが活動のエネルギーになってくれるなら、大いに頑張ろうではありませんか。

ただ、それは「モチベーション」（動機）として利用するだけです。「目的」そのものにしてはいけません。

というのも、他人が認めてくれるかどうかは、他人が決めることであって、自分がコントロールできるものではないからです。他人の評価を「目的」にしてしまうと、そこから「他人の目が気になる」心理に突入してしまいます。

認めてもらう、評価される、成功を収める――これらは、他人の領域、将来の話です。自分の言葉と、この瞬間の思いと、今できること――それ以外のことは、結局は「妄想」です。ブッダの思考では、いかなるときも妄想を目的とはしないのです。

「認めてもらえるように」というのは、出だしのモチベーション、または最後にたどり着く方向性としてはよし。でもいったん始まったら、その先は、仏教的な発想に切り替えましょう――「改善」「集中」、そして「納得」です。

◆改善・集中・納得……禅寺「作務」の効用

仕事でも、自分の生活でも、何か新しいことを始めたら、「改善する」という発想を持つことをお勧めします。

「改善」とは、仏教的にいえば「快を感じられる工夫をする」ことです。仕事の進め方、小道具、ＢＧＭ、環境、カラーリング（配色）、パソコンのソフトや携帯のアプリ、人付き合いなど、なんでも「快を感じられるように」改良していくのです。

すでにお伝えした通り、心は快か不快かの二者択一の反応をしています。〝不快〟を感じた心は、その場から逃避しようとします（それが「ストレス」です）。

他方〝快〟を感じれば、心はその対象に執着します（それが「やる気」です）。その心の性質を活かすなら、〝快〟を感じられるように環境を改善していけばいいのです。ここは楽しんでください。

ここで少しつっこんでお話しておくと、「正しい努力」とは「人に認められるため」とか「成果を上げるため」といった〝外部のもの〟を目標にすることではありません。最初の動機が何であれ、いったん始めたら〝内面的な動機〟に立って励むことです。つまり、集中や充実感といった心の〝快〟を大事にして、一つの作業を続けることです。

禅寺での「作務《さむ》」とは、まさにその実践です。「意味があるか」を問うのではなく、無心に励んで、充実感や「心を磨く」爽快感、納得を目的とするのです。

「自分のモノゴトに集中する」禅の智慧

「自分のモノゴト」とは、自分にとって必要な、役に立つ、カラダ一つでできる「作業」のことです。そこに「他人の目」や「周りがやっていること」は関係ありません。

「正しい努力」とは、いわば「外の世界」を忘れて、「自分のモノゴトに集中」して、そのプロセスに「自ら納得できる」ことです。これが成果を運んでくれるのです。

「自分のモノゴトに集中する」手順を、禅の智慧を借りながらまとめてみましょう。

①目を閉じる――これは人生の基本にすえるべき、重要な心がけです。

私たちは、あまりに「外の世界を気にしすぎ」です。いつも外の世界に心奪われて、そわそわと落ち着かない状態になっています。

実は、心というのは、何かに触れれば必ず反応するものです。あなたが期待するほど、心は強くありません。外を歩けば反応する。人を見れば反応する。反応すれば、いろんな雑念が溜まります。心は本来そういうものだと心得ておきましょう。

とすれば、最初から「外を見ない」「人を見ない」ことが最善です。だからいっそのこと、目を閉じてみるのです。

その状態で、心の内側だけを見つめてください。それが、自分が取り組まなければいけないモノゴト、本当の作業に向かう出発点です。

②ムダな反応をリセットする——目を閉じたら、今度は「心の状態」を見ます。

疲れ、ストレス、不満、緊張、その他モヤモヤした雑念の粒子みたいなものが、漂っているように見えるかもしれません。どんな状態も「あってよし」です。そのまんま、認めてあげましょう。「うむ、今、アタマの中はこんな状態である」と、客観的に観察します。

その観察タイムを、三〇秒でも五分でも、自分で時間を決めてやってみます。心が落ち着かないときには、「タイマーで一五分」をお勧めします。

目を閉じて心を見つづけます。それだけで、心が浄化されて、落ち着いていくものです。こうして、ムダな反応をリセットしてください。心を静かでクリアな状態に持っていくのです。

③目を開いて、目の前の作業に一心に取り組む——時間がきたら、目をパッチリ開いて、いざ目の前の作業に取り組みます。最初の「スタートダッシュ」が肝心です。反応をリセットしたら、勢いをつけて、作業に専念するのです。

そのうち集中力がダウンして、続けられなくなるかもしれません。そうなったら、少し休んで、また①の「目を閉じる」ところから再スタートしましょう。

このやり方は、ブッダが教える〝八正道《はっしょうどう》〟の日常生活版です。八正道とは「この八つは目的成就のために欠かせない」とブッダが掲げた実践メニューです。

その中に、〝正念《しょうねん》〟〝正定《しょうじょう》〟〝正精進《しょうしょうじん》〟というのがあります。

〝正念〟とは「よく気づいている」こと。すでにお伝えした「サティ」、感覚を意識する、言葉で確認する、という心の使い方です。〝正定〟とは「一点に集中する」こと。「正精進」(正しい努力)とは、「気づきと集中を継続する」ことを意味します。

この三点セットをフル駆動して〝禅定〟という超高度な集中状態に持っていくのが、禅・ヴィパッサナー瞑想の修行です。

ただ、この三点セットは、「自分のモノゴトに集中する」という日常生活の心がけにも使えます。そのことを意識してまとめた手順が、今紹介した①、②、③のステップです。

この「集中モードの作り方」を、ぜひ職場で、家庭で、実践してください。

いったん目を閉じて、心を静めてクリアになった状態で「始めます！」と宣言して、行けるところまで行きましょう（ちなみに「始め！」を禅の世界では「決定《けつじょう》！」と言ったりします）。

助走をつけて幅跳びするのと同じように、①、②、③のステップで、どこまで進めるか、ぜひ試してみてください。

「無心でやる」「心を尽くす」ということ

いったん作業を開始したら、もう他人の目を気にしたり、外の世界を妄想したりしてはいけません。

取り組むときは「無心」でやる。いっときに、一つのモノゴトを、心を尽くしてやるというのが原則です。

そのことで、ムダな反応が浄化され、心はどんどんクリア（透明）になり、「集中」による充実感と喜びが得られるのです。あとに残る実感が「納得」です。

そういう努力ができるようになったら、もう誰の評価も必要としません。集中すれば成果はおのずとついてくるし、結果的に、誰かに感謝されたり、賞賛されたりというオマケもついてくるかもしれません。しかし、「道の途中」――自分のモノゴトに取り組むプロセスそのもの――に納得しているのですから、そんなことはもう、どうでもよくなります。

自分のなすべきことがわかっている。心をリセットして、集中する。やり遂げた後に、納得が残る。それだけですっきり完結です。

「他人の目」なんて、どうでもよくなってきたのではありませんか？

ブッダが教える通り、自分の心を見つめるだけで、答えは出るのです。

他人の物事のために、自分のなすべきことを捨て去ってはならない。
自分の物事を熟知して、自分のなすべきことに専念せよ。

――ダンマパダ〈自己について〉の章

第5章 「正しく」競争する

その競争は「妄想」かもしれない

「競争」という現実は、この世界では避けられません。しかし勝ちを目指す途中には、必ず緊張や焦り、負けられないというプレッシャーがつきまといます。負けたときには、敗北感や劣等感といった負の感情が残ります。競争は、いつも私たちを悩ませます。

競争による悩みを解決する方法は、あるのでしょうか。「競争の正体」を理解し、「正しい競争の仕方」を知ることで、競争に苦しまない生き方が可能になります。

◆競争の「からくり」を知る

そもそも「競争」とは何なのでしょうか。「心を見る」というブッダの思考法にてらせば、競争もまた〝求める心〟から始まっていることになります。

生命はみな、欲を満たすことを求めています。欲を満たしてくれるものを手に入れることが、生きる目的として脳にインプットされています。

ただし、人間にとって、欲を満たしてくれるものは、生存に必要な食べ物や住まい、衣服といったモノだけではありません。「承認欲」を満たせる記号——地位やブランドや学歴や容貌、キャリア——なども含まれます。

これらの記号は、数にかぎりがあります。だから同じものを求める人間同士で、奪い合いが始まります。勝ち取ることが「勝利」です。これが「競争」の始まりです。

競争は、単純な奪い合いに留まりません。人間には「もっと有利な、もっと優越した、人より上の自分」を目指したがるという〝貪欲〟があります。貪欲は「このあたりでゲーム終了」とすることができません。貪欲が心にあるかぎり、どんな記号を、どれだけ手に入れても、「もっと別のものを、次の勝利を」という思いに突き動かされて、新しい競争へと参戦していきます。

承認欲もまた、「もっと自分の価値を高めたい、もっと勝ちたい、もっと人に承認されたい」と、心を競争へと駆り立てます。

つまり競争するという心理の底には、「何かを手に入れれば欲を満たせる」という原始的な欲求と、「手に入れたものだけでは満足できない」という貪欲（心の渇き）が、存在しているのです。

欲は、生きているかぎり続きます。その欲を抱えたまま現実の世界に飛び込めば、終わりのない競争を、心は半ば自動的に始めてしまうのです。


人はけして満たされることなく、何かを貪り、何かを勝ち得ようと望んでいる。

それは、求める心（タンハー）に突き動かされて、心渇いている姿である。

――貪りを捨てる人とは　サンユッタ・ニカーヤ

◆「勝利は蜜の味」という勘違い

「競争」を作っているものは、自分自身の「勝ちたい」という欲求の他に、競争を強いる「世の中の仕組み」もあります。

人が関わるところに、競争が生まれることは避けられません。企業は売り上げを競い合うし、仕事でも出世をめぐって争うことは、ふつうです。子どもですら、幼い頃の遊び道具の奪い合いに始まって、成績や友だちの多さを競ったりしています。

ただ、社会における競争は、本来必要もないのに、誰かの都合で作り出された部分も多分にあります。本来は必要のない「バーチャルな競争」に、いつの間にか参戦させられていることも、事実としてあるのです。


バーチャルな競争のわかりやすい例が、「勉強」です。誰でも体験していると思いますが、年頃の子どもは、自分の価値をかなり気にし始めます。中学生にもなれば、思春期だし、内申書も必要だしということで、学校の成績を相当気にするようになります。

本来、「知的能力を身につける」という勉強の本質にてらせば、「点数で一喜一憂する」より、他に考えなければいけないことがあります。ところが、周囲の大人たち――親や学校・塾の先生たち――は、子どもたちを駆り立てる刺激として、「ホラ、これがお前の点数だ、順位だ、偏差値だ」と、子どもの価値を測るものさしを突きつけてきます。

「自分の価値を測るものさし」など、それまで考えもしなかった子どもたちは、ここにきて「点数」や「成績」や、その比較によって自分の価値を「値踏みする」という「判断の方法」を学習します。①認められたい気持ちがある⇒②認められるには、成績を上げなければいけない⇒③だから成績を上げることを目標にする——という思考を組み立てます。

ただ本当は、多くの子どもたち——かつてのあなたもそうだったでしょう——が、疑問を感じているのです。というのも、「成績を上げる」という目標は、実体のない、完全にバーチャルなものだからです。

「なんで勉強しなければいけないの？」と考える子どもは、学校の勉強がただの観念、記号、妄想にすぎないということが直観的にわかっているのでしょう。別に楽しいわけでもなく、知的欲求を満たせるわけでもない。「快」もないのに続けるなんて、心にはかなり不自然です。

ただ、子どもにも承認欲はあるので、その欲一つで反応して、「成績の良し悪しで自分の価値は決まる」という価値観のなかで頑張ろうとします。周囲は、そういう価値観で判断してくる大人たちばかりなので、成績による優劣・勝ち負けというバーチャルな判断が、実際に存在するかのように錯覚してしまうのです。

もしブッダのような〝悟れる〟子どもなら、「犀の角のごとく、ただ独り歩む」のかもしれません。が、「大人に認めてほしい」という気持ちでいっぱいの子どもたちは、「よし自分も頑張ろう」と「イノシシのごとく張り切って」しまいます。こうして学力をめぐる「競争」に、いつしか巻き込まれてしまうのです。

この「競争」を作っているのは、ただの価値観、判断、つまりは妄想です。「点数」という記号に価値を見る、大人たちの勘違いが作り上げたものです。

学校や塾や予備校、教師たちにとっては、「子どもの成績を上げる」ことが、利益になります。

親もまた、子どもの成績が良ければ、自尊心（承認欲）を満たせるし、過去に得られなかった勝利を、子どもを通じて手にしたいという願い（怨み・ルサンチマン）があります。子どもたちもまた、勉強に「勝利」という価値を見るようになります。勝てば「アタマがいい」と思ってもらえる、プライドを守れると考えるようになるのです。

みなそれぞれに「蜜」――欲求の満足――があるから、勉強というバーチャルな競争に参加しています。人は妄想を抜けられないから、成績という記号への執着も捨てられないのです。

◆「完全勝者」はいない。だから……

かつて私自身が、勉強というバーチャルな競争の真っ只中にいたことがあります。そこは、勉強によって「プライドを死守する」人間たちが密集する空間でした。

その世界では、自分に満足するということが決してありません。どこまでも「プライドを守れる」有利な記号を探して、それを手に入れるゲームが続きます。学部も、進路も、ことごとく「プライドを守る競争」に勝つために選びます。社会に出て何十年経っても、定年を迎えても、なお「プライド」にこだわりつづける人生がありました。

バーチャルな競争に乗っかってしまうと、降りられなくなるのです。「成績が良い」「アタマが良い」「勝利」「プライド」——どれも承認欲が作り出した妄想でしかないのに、そこから降りれば、「劣っている」と思われてしまいます。それがイヤだから、どこまでも勝ちつづけようとするのです。

当たり前のことながら、その世界の住人は、いつまでも人の目を気にして、どこか臆病で、心渇いているように見えました。

この世界は、闘いと、言い争いと、心配事と、悲しみと、物惜しみと、「わたしがいるぞ」という慢心と、傲慢と、誹謗中傷に取り憑《つ》かれている。

やがて必ず喪失にたどり着くさまをみて、私は空しくなった。

——スッタニパータ〈闘い〉と〈武器〉の節

競争という現実があることとは、誰も否定できません。ときには、負けることで不利益を受ける、だから勝ちにこだわる必要が出てくることもあるでしょう。

しかし、「勝つ」というバーチャルな価値だけにこだわると、終わりのない「競争」に突入します。完全な勝利（つまり安らぎ）は、どこにもありません。しかも、ほとんどの人は「負け」を味わうことになります。どこかで発想を切り替えないと、その負けの苦しみは、生涯つきまとうことになるでしょう。

もっとも、仏教は「現実を否定しよう」（競争から降りよう）とは考えません。現実を鵜呑みにして、「迎合しよう」とも思いません。考えるべきは、競争という現実に「自分はどう向き合うか」です。自身の態度を確立せよ、と仏教は語りかけるのです。

競争の前に「準備」をしよう

競争という現実に、どう向き合うか――多くの人が思いつくのは、次の二つでしょう。

①競争に参加して、勝利を目指す（世の中はそんなものだと割り切る）

②競争から降りて、違う生き方を目指す

競争に乗るか、降りるかの二者択一。それが世間の発想ではないでしょうか。

たしかに世の中には、「勝利・成功の哲学」とか、逆に「競争を降りて自由に生きよう」的なメッセージが人気を誇っています。仏教もまた、②の「降りる」路線に立つものと、一般には思われています。

ただ、「大切なのは心の持ち方である」というブッダの思考を突きつめていくと、その一歩手前に、もう一つ、別の問いがあることがわかります。

それは、「どんな心で現実の中を生きていくか」という問いです。

つまり、競争という現実を否定せず、むしろその中にあって、自分はどんな心を保つのか。それを確立しようという思考です。

すると、第三の選択肢があるとわかります。

それは、
③競争の中を、違うモチベーションで生きる
という発想です。つまり、「勝つ」という動機以外で、競争社会を生きていくこと。勝ちか負けかという二者択一の価値観ではなく、別の価値観をもって、競争社会の中を生きることです。

◆禅僧の教え「いっそ目をつむってみよ」

別の動機・価値観で、競争社会を生きる――そんなことができるのかと思うかもしれませんが、ブッダの思考法に立てば可能です。

ただ、そのためには、自分自身が「競争」という妄想ゲームをいったん抜けてみる必要があります。たとえば、こんな抜け方があります――。

「競争に疲れてしまった」という人が、ある日、禅寺を訪れました。すると、禅僧にこんなことを言われました。

「では、目をつむってみなさい」

実際にやってみましょう。目をつむると、目の前に暗闇が見えます。そこには、勝ち負けを判断する人間も、世の中も、存在しませんね。

その暗闇に見えるのは、自分自身の思いです——どんな思いが浮かんでいるか、よく見てください。

「なにを、負けるものか」

「勝ってやる。そして自分の価値を認めさせてやる」

「バカにされたくない。見下されたくない」

そんな思いが、沸々《ふつふつ》とこみあげているかもしれません。

勝利への欲求、プライド、自尊心、虚栄心、見栄——これらの心はすべて、心の暗闇から生まれてきます。遅れを取っている、劣っている、負けてしまう、自分に価値などないのではないか、といった思いも、暗がりの中に湧いてきます。

こうした思いを、次のように正しく理解してください。つまり、①求める心がある⇓②勝ちたいという欲求がある⇓③勝ちか負けかという判断や、自他を較べたり張り合ったりする意識、競争に駆り立てられている心がある——。

はい、今見えているその思いは、すべて「妄想」です。

勝ちたい、勝った、負けたくない、負けた……どれも妄想です。今浮かんでいる妄想が、「競争」の正体です。

では、パッチリと目を開いてください。目の前の光景をよく見つめます。部屋の中でも、外の景色でもかまいません。

そのとき見えているのは、光（視覚）です。先ほどまで脳裏に浮かんでいた妄想は、どこを見ても存在しません。

「なんだ、いま考えていたことは妄想（まぼろし）だったのだ」と、はっきりと実感してください。

私たちがふだん実体があると思い込んでいるもの――勝ち負けや優劣を競わせる社会の情報や価値観――は、厳密にいえば「妄想」でしかありません。

それらは、脳の中を浮遊して、「手に入れろ、勝て、遅れをとるな」と囁《ささや》いてきます。人の心は、そうした妄想に覆われて生きています。でも本当は、「妄想の中で眠っている」のと変わらないのです。

「そうはいっても、また現実の中に戻らなくてはいけないではないか。競争に巻き込まれてしまうではないか」と思う人もいるかもしれません。

しかし、そうではないのです。ここは、仏教的思考を理解する上で、たいへん重要なポイントです。

私たちが目醒めるべきは、競争という現実、社会の現実に対して、日頃「どんな心で向き合っているか」という、最も根源的な部分です。外の世界は二の次。競争という現実も、あとの話です。それよりも、自分の反応、今の心の状態に気づくこと。どんな心で外の世界に対峙しているかを理解することなのです。

目を閉じてみれば、そこには、「勝ちたい」という欲が作り出した妄想しかありません。その妄想に気づいて、まずは抜け出すこと。それが、競争から自由になる第一歩なのです。

◆ブッダならこう言う「目を醒まそう！」

人は、つい外の世界に反応して、「勝ちたい」という欲求、見栄、プライドにスイッチを入れてしまいます。勝つための記号――モノ・財産・評判・学歴・ブランドその他――を手に入れようと考えます。

勝利への欲求は、どこまでも心を駆り立てます。「勝った」と思っても、心はどこか安心できません。「誰にも負けたくない」「もっと勝ちたい」と考えている自分がいます。

逆に「負けた」と思えば、心はいつまでも、未練に駆られて勝ちを追いかけつづけます。歳を重ねて「競争」がはるか遠い昔のことになっても、「あのときこうしていれば、自分だって勝てたのではないか」「今からでも頑張れば勝てるのではないか」と夢想しています。

人は、どこまでも「勝ちたい」という眠りのような欲の中を、ふらふらとさまようように生きているのです。

ブッダならば、「目を醒ましてごらんなさい」と言うでしょう。

「そのままでは、けして満たされることはない。満たされないまま人生を終えるのは、正しい道だと思いますか？」と問いかけてくるでしょう。

「競争」は、社会の中にたしかにあります。勝ちを求めることは、可能です。

しかし、競争という現実に、どんな心で向き合うのか。それはあなた自身の選択です。

大切なのは、アタマの中のバーチャルな競争から抜けてみること。競争という脳内の妄想から、いったん目を醒ましてみることです。

そのとき、競争に乗るか降りるか、あるいは別の動機で新しく生きていくかという選択が可能になります。本当の勝利――自分自身の納得――への可能性が開けるのは、その後です。

外の社会や人間が気になってしようがないなら、目を閉じてください。

勝ち負けや優越・劣等という判断が苦しいなら、目を開いてください。

目を閉じるのは、反応しないため。目を開くのは、妄想から目を醒ますため。シンプルですが、これが競争という名の妄想から抜け出すための第一歩です。
実践して、心の自由を取り戻していきましょう。

見える者は、見なくてよい。聞こえる者は、聞かなくてよい。
よく知る者はこの世にあって、無知なる者としてふるまえ。
——長老カッチャーヤナの言葉　テーラガーター

心の内側を見ず、外の世界に反応ばかりしている人は、欲望に流される。
心の内側も、外の世界もよく理解して、煩悩に覆われないクリアな心で見る人は、
欲望に流されない。
——仏弟子ラクンタカの告白　テーラガーター

「正しい動機」を用意する

競争に乗るか、降りるか、別の動機で競争の中を生きるか――私たちには三つの選択肢があります。

問題は「別の動機」とは何かということ。その新しいモチベーションに立ったとき、「競争の中にあって、競争に苦しまない生き方」が可能になるのです。

◆人間関係をまあるく治める「四つの心がけ」

ここで、ブッダが教える、人生の大きな心がまえ――世界に対する向き合い方――を知っておきましょう。それは、慈《じ》・悲《ひ》・喜《き》・捨《しゃ》と呼ばれる、四つの心がけです。

慈【慈しみの心】——これは、相手の幸せを願う心です。自分の都合や欲求を通すことではなく、純粋に「相手が幸せであるように」と願う心のことです。

悲【悲の心】——これは、相手の苦しみ・悲しみをそのまま理解すること。相手の「悲」に共感することです。

喜【喜の心】——これは、相手の喜び・楽しさをそのまま理解すること。相手の「喜」に共感することです。

捨【捨の心】——これは、手放す心、捨て置く心、反応しない心です。「中立心《ちゅうりつしん》」ともいいます。たとえば、欲や怒りという反応に気づいて、ストップをかける心がけです。

世間では、これらをまとめて「愛」と表現しています。ただ「愛」というのは、かなり曖昧で、ときに互いを苦しめ合う理由にもなっています。仏教ではもう少し厳密に、「愛」という心を、四つの心の働きに分けて理解するのです。

これら四つの心は、人間であれば誰でも持っています。家族・子どもが幸せであってほしい、身近な人が順調に暮らしてほしいという慈しみの心は、みんな持っているものです。

身近な人が病気にかかったり、悩んだりしていたら、こちらも苦しみを感じます。見知らぬ土地の人が地震などの災害にあったら、助けてあげたいと思いますね。これが悲の心です。

ペットがエサを夢中になって食べている様子を見て、心が和む。子どもが公園で楽しそうに遊んでいるのを見て、幸せを感じる。こういう喜びへの共感が喜の心です。

相手を許す。過去の怒りを手放す。これ以上苦しまないように、反応しないように努める。これは、捨の心です。

難しいのは、「捨の心」かもしれません。というのは、「執着」があるからです。欲をかなえたい、許したくない、相手に認めさせたい、勝ちたいというのは、全部「執着」です。人間は、執着している思いを、「相手のため」「世の中のため」「正義」や「愛」のため、と理屈を作って正当化しています。これは親子でも国際関係でも同じです。

しかしそうした「愛」や「正義」は、仏教的には、ただの言葉・観念にすぎません。その心にどんな反応、心の働きがあるのかを、正確に見つめるのが、ブッダの思考法です。

◆「よし！と言える人生」の土台を作る

この四つの心がけは、人間なら誰でも持っています。ただ、意外というか、残念というか、学校でも、社会に出てからも、この慈・悲・喜・捨の四つの心がけを、はっきり教わる機会はありません。これらは本来、宗教・思想というより、人間誰もが持っている普遍的な〝心の使い方〟であるにもかかわらず、人は気づかないまま生きているのです。

その結果どんな人生を生きているかというと、欲望、怒り、妄想をもってテキトーに反応して悩んでいる人生です。

家族には、自分の都合、思惑、わがままをぶつけて、相手が苦しんでいるのに気づかないふり。仕事では、自分の評判、成果、収入ばかりを追いかけて、周囲の人や組織の利益は後回し。ひとりになれば、自分のプライド、勝ち負け、優劣をやたら気にする自分がいます。怠惰と快楽に耽《ふけ》りながらも、心はいつも満たされません。過去の失敗もよみがえってきます。将来に不安も感じます。「このままでいいのだろうか」と漠然と考えます。

心はどこか渇いている。焦っている。でも、どうしたらいいかわからない――こうした苦しい現実を生きています。

こうした迷える人生を、どこかでリセットできないものでしょうか。いつでも、自分自身に「よし」と言える、納得のいく生き方はできないものでしょうか。

ブッダが教えるのは、心を見る（理解する）こと、反応に気づくこと。そして、「正しい動機に立つ」ことです――**慈・悲・喜・捨という四つの心がけを、心の土台に、人生のモチベーションにすえてみる**のです。

「みんな、よく頑張っているな」で世界が変わる

慈・悲・喜・捨の心に立つと、人生はどのように変わるでしょうか。ある男性の例を紹介しましょう。

その男性は、有名な外資系のコンサルティング会社に勤めていました。高学歴で、年収何千万円という社会的エリートです。しかし、その職場というのは、凄絶なる足の引っ張り合いでした。同僚が病気、失敗、失脚の憂き目にあうと、周りは内心ほくそ笑むという、

なんとも殺伐たる環境でした。

男性もまた、ストレスで胃腸をやられてしまって、胃薬を服用していると言っていました。このままでは神経がやられる。いっそのこと仕事を辞めてしまおうか、と言います。

私が伝えたのは、「悲の心を向けてあげてください」ということでした。

熾烈《しれつ》な競争を強いられる環境の中で、自分が我欲（勝ってやる、負けるものか）で反応すれば、あっという間に、心は怒りで焼かれてしまうでしょう。もちろん仕事を辞めるのも手でしょうが、その前に、努めるべき課題があります。「正しい動機に立つ」ことです。

正しい動機とは、悲の心に立つことです。きっと職場の人のほとんどは、安らぎを知りません。自分の中の上昇欲、プライド、虚栄心で、火に煽《あお》られるように働いていることでしょう。ストレス、疲労、猜疑《さいぎ》心、敵愾《てきがい》心でいっぱいの人もいるでしょう。快のない心は、虚しいものです。「なんのために働いているのか」と疑問を感じている人も多いはずです。

そうした人々の苦しみを、まずは思いやること。理解すること。「みんな、よく頑張っているな」と思うことです。

もしそう思えるなら、世界は少し違って見えるかもしれません。欲に囚われれば、世界は狭くなります。しかし悲の心に立てば、なぜか〝つながり〟を感じます。世界が広く感じられるのです。

◆慈・悲・喜・捨――この「大きな力」！

生きることには苦しみが伴う――これは、ブッダが説いた〝四聖諦〟と呼ばれる教えの一節です。

この教えについて、ある人は「仏教は悲観的」「ネガティブ」「厭世的《えんせい》」だと言います。

しかし、そうではありません。これは、誰もが体験する人生の真実を、そのまま語っているだけです。

「生きることはラクではない」――これは「実感」なのです。

ただ、これが人生の「結論」ではありません。「ここから苦しみのない人生を作っていこう」という「出発点」なのです。

ブッダは、「その苦しみを越えなさい」という前向きな希望を語っているのです。

「自分だけではない。人はみな、苦しみを抱えている」――これもまた、ブッダの教えから導かれる真実です。この世に生きるすべての人たち――家族も、職場の人も、通勤電車に乗り合う人も、道ですれ違う人も、テレビで見かけるあの人も――みなが、それぞれに苦しみを抱えているという事実を語っているのです。

もしこの真実に目を開くことができれば、苦しみは、ちょっとやわらぐかもしれません。自分だけだと思っていた孤独感が、少し溶けて癒されるかもしれません。

人はみな、それぞれの「現実」を精一杯生きている――そういう理解に立ったときに、人は新しい人生を歩み始めます。悲の心は、それくらい大きな力を持っているのです。

先ほどの男性は、慈・悲・喜・捨という四つの心がけを知っただけで、気分が落ち着き、職場がそれほど苦痛にならなくなったと言っていました。

「心の持ち方」を知るだけで、反応の中身が変わるのです。その意味で、仏教だけでなく、さまざまな思想や人から生き方・考え方を学んでいくことは、今後の人生の希望になってくれるでしょう。学んでいきたいものです。

「お役に立てればよし」

慈・悲・喜・捨の四つの心がけを、〝心の土台〟（よりどころ）、生きていく上での基本ルールにすえると、仕事や人生の意味もまた、違って見えてきます。

慈しみとは、他者の幸福や利益を願う心です。そこから、「貢献こそが大切」「役に立てればよい」という思いが生まれます。

喜びの心に立てば、人の喜ぶ顔を見たときに、自分も幸せを感じられるようになります。「誰かの喜び」には、もっと意識して、自覚的に「反応」したいものです。

悲の心に立てば、相手の苦悩を最初に見るという発想を持てるようになります。相手を苦しめること、損害を与えることは、「してはいけないこと」という自戒が生まれるのです。

貢献すること、もてなすこと、サービスすること、役に立てること――慈と悲と喜の心です。本当は、それだけで十分、働く動機・生きる意味になるのではないでしょうか。

人が、煩悩——我欲と怒りと妄想——に執着すれば、必ず苦しみ・満たされなさが生まれます。「勝ちたい」「手に入れたい」という欲求は、「勝った自分」「手に入れた状態」を思い浮かべますが、それは「妄想」です。

「欲望」とは、「欲求」プラス「妄想」のこと。妄想を欲求で追いかけだしたとき、人は自分を見失い、本来の生き方・よき心の状態を忘れてしまうのです。多くの人が、正しい生き方を忘れています。

だからブッダは〝目を醒ましなさい〟と説くのです。

自らの反応を見よ、反応に気づけ、そして自分を苦しめる反応を解消して自由になりなさい、と語りかけるのです。

慈・悲・喜・捨の心がけというのは、つい忘れてしまうものですが、しかし人が幸せに生きる上で欠かせない永久の真理です。もしこの四つを、働く動機、生きる目的にすえるなら、「競争」という現実の中で、欲と怒りと妄想とに駆られて生きてきた自分から、ちょっと〝自由に〟なれることでしょう。

そのとき、競争という現実の中にあって、競争に苦しまない生き方が可能になるのです。

〝五つの妨げ〟に気をつける

勝利を目指すことを一概に否定する必要はありません。勝つことを目指して努力することで、自分だけでなく、誰かが幸せになるという不思議さえ、この世の中にはあります。

ただ、勝利を得るには〝順序〟があります。

仏教では、**「まずおのれの内側に、たしかな勝利を得よ」**と考えます。

ブッダは、人が「道を成就する」（目的を達成する）うえで、〝五つの妨げ〟に気をつけなさいと語ります。

道の者よ、迷いに満ちたおのれの心の状態に気づくがよい。そこには〝五つの妨げ〟がある。

すなわち、①快楽に流される心、②怒り、③やる気の出ない心、④そわそわと落ち着かない心、そして⑤疑い、である。

気づくがよい。このような心の状態では、物事をよく理解することも、正しく考えることもできない。ゆえに苦しみの連鎖は、いつまでも続くであろうと。

――若き修行者への訓誡　マッジマ・ニカーヤ

私たちの心には、これらの〝五つの妨げ〟がいつもあります。うまくいかないとき、失敗するとき、挫折するときには、たいていこれら五つのいずれかが、原因になっています。だから気をつけなさい、とブッダはいうのです。

◆人生の足を引っ張る「要注意リスト」

ブッダが指摘した〝五つの妨げ〟を確かめてみましょう。
①快楽に流される心――これは、映像や音、匂い、味、触覚など「五官の快楽」に流れる心です。テレビも、漫画も、インターネットも、グルメも、その他の娯楽もすべて当た

ります。

これらが「適度」で「心が快を得る上で必要」というなら、問題ありません。

ですが、「大事な作業中に、つい手が伸びてしまう」「ハマると何時間も抜け出せない」「自分をコントロールできない」というなら、まさに「妨げ」に支配されている状態です。なんとかしないといけませんね。

②怒り――これは、不快、不満、悲しみ、ストレス、他人への悪意など、心をざわつかせる感情です。これがあると、アタマがむしゃくしゃ、イライラして、手がつきません。
たまに「怒りがあるほうが、やる気が出るんです」と言う人がいます。ただ、仏教的には、それは「危険な勘違い」です。

というのは、怒りに「快」を感じている人は、いろんな場面で簡単に怒ってしまうだろうからです。たぶん「やる気が出る」と言う人は、それ以上に、怒りゆえの失敗を、これまでしてきていると思います。

もうひとつ「勘違い」なのは、本来「やる気」は、「ムダな反応のない集中状態」に入っていくためのものです。でも、怒りというのは「反応」です。「心にムダな反応がない」のと、「怒りの反応がある」状態では、どちらがよく頑張れるでしょうか。**心は、なるべくムダな反応のない、クリアな状態のほうがよい**のです。これは、勝利や成功を目指す上でも、大切な方針になるはずです。

③やる気の出ない心――眠たい、面倒くさい、ラクしたい、手を抜きたい、疲れて元気が出ない、といった状態です。これらも、たしかに「妨げ」になりますね。

やる気が出ない理由は、一概には言えません。ただ、たとえば「休んでいるのに、やる気が回復しない」というのは、そもそも「動機がない」（または動機を間違えている）か、仕事の中身や人間関係などに「快」が乏しいのかもしれません。

先にお伝えした「快を大切にする」「改善する」という発想に立って、生活を工夫してみたいものです。

④そわそわと落ち着かない心――雑念や妄想だらけで、作業が手につかない状態です。

率直に、この状態は、テレビやネットやゲーム、音楽といった刺激や、お酒やタバコやスマホなど「テキトーな反応」に慣れすぎていることが理由かもしれません。

思いきって「刺激を減らす」ところから始めるしかありません。手を出さないこと。外を歩くこと。禅・ヴィパッサナー瞑想も、もちろん効きます。

⑤疑い——これは、自分や他人、将来のことを悪く考えてしまう心です。「また失敗するのではないか」「自分にはできない」という自己不信。「あの人に嫌われているのでは」「騙されているのでは」という疑い。「将来どうなるのだろう」という不安もこれに当たります。

この「疑い」は、三毒でいうなら「妄想」に当たります。サティ（気づき）を実践して、妄想を消去していくことが解決策になります。

◆毎日を上向きに——〝五つの妨げ〟対処法

悩ましいのは、こうした〝五つの妨げ〟は、かなり強い力を持っていることです。「わかってはいるけど、やめられない」が、素直な心情ではないでしょうか。

しかし、妨げに負けつづけると、自己嫌悪が募ります。自尊心を失ってしまいます。

人生をどこかで「上向き」にしたいなら、いずれは〝五つの妨げ〟に勝たなくてはいけません。どうすれば勝てるのでしょうか。

本書で紹介してきたブッダの思考法は、そのまま「勝ち方」としても使えます。

たとえば、「妨げ」に襲われたら、「なるべく反応しないで〝妨げが襲ってきている〟と理解する」というのは、正しい勝ち方です。

また「方向性」つまり、自分の目標をよく見て、「こんなことで負けてはいけない」と、自分を奮い立たせることも、勝ち方のひとつです。

ほかにも、①反応に逃げない、②快を見つける、という心がけもあります。

「反応に逃げない」というのは、たとえばちょっとした隙に、テレビをつけるとか、ネットを開くといった反応を止めることです。

仏教では、こうした小さな反応のことを〝漏れ〟と表現します。大切な物事に心を向けることができずに、小さな〝心の穴〟から反応が外に漏れてしまう状態です。

こうした小さな漏れが積み重なると、やはり成功の可能性は、遠くなってしまいます。

もちろん、ただ生活を楽しみたいというなら、問題ありません。でも、「自分には大切な目標がある」「どうしても結果を出したいことがある」というなら、なるべく「反応に逃げない」ことをルールにしましょう。「手を伸ばしたいのをぐっと我慢する」のです。

代わりに、「感覚を意識する」ひとときを作りましょう。なんにもしないで、体の呼吸を感じ取るだけです。退屈でしょうか。もしそう感じるなら、「それだけで平気でいられるようになる」ことを、最初の目標にすえてみてください。


「快を見つける」というのは、仕事や作業を「積極的に楽しむ」ということです。あえて「快で反応」してみせること。「楽しんでいるぞ」と努めて意識することです。

ここは本書のテーマである「反応しない」というのと、逆のアプローチをとります。「反応しない」というのは、欲や怒りや妄想といった、マイナス、ネガティブな反応についてです。

逆に、自分の気持ちを盛り上げてくれる「快の反応」は、意識してやってみるとよいのです。「面白いぞ」「頑張っているぞ」と、ポジティブな反応をします。

「快で反応しよう」と心がけていると、ふだんの「ぼんやり心」から、徐々に「すっきりと楽しい心」に変わっていくものです。また多少の「妨げ」に対しては反応しない（負けない）ようにもなります。ぜひ試してみてください。

快の反応は、工夫（心がけ）次第で増える、というのは覚えておきましょう。

◆「正しい努力－五つの妨げ」＝人生

〝五つの妨げ〟について、もうひとつ、わかっておきたいのは、**「人生は〝五つの妨げ〟を引いてなんぼ」**ということです。引いた「残り」が、ありのままの自分なのだということです。

たまに「わたしの人生は失敗続きでした」「今もまともに仕事ができません」と、後ろめたそうに言う人と出会います。聞いてみると、「もっと成功したい」「今からでも仕事ができるようになりたい」という思いがいっぱいです。「やる気」は一見あるのです。

でも、現実の生活を見てみれば、どうしても、快楽に流されたり、ラクに走ったり、小さなことに腹を立てて投げ出してしまったりという「弱さ」が見つかります。

本人は、そうした弱さを受け容れられず、「自分はもっとできるはず」「こんなものではない」という思いを捨てきれないのです。

仏教では、「心の弱さ」「妨げに負けてしまう心」を、ありのままに見ます。人間ですから、弱さはあります。妥協もします。快楽や怠惰に流されることもあります。それは事実なのだから、否定してもしようがありません。本当の自分とは〝頑張れる自分〟から〝弱い自分〟（五つの妨げ）を引いた残りなのです。

そのいわば「等身大の自分」は、良いとも悪いとも、本当は判断できません（すべきではありません）。というのは、当たり前のことですが、それ以外の自分は存在しないからです。

本人の「妄想」の中にのみ、「もっとできるはずの自分」が存在するのです。でも、そうした妄想に執着しても、自分がみじめになって苦しいだけですよね。

いつも、「等身大の自分」があります。

その自分を、ありのままの、否定しようのない自分として受け容れることが正解なのです。

人生は、つねに「ここからスタート」です。

もしまだ自分に納得できないなら、これから自分を高め、成長させていきましょう。

そのときは〝五つの妨げ〟に足を引っ張られないようにしましょう。「今度は自分に勝利できるように」頑張りたいものです。

人生は〝正しい努力〟から〝五つの妨げ〟を引いた「残り」です。残る「自分」が本人にとって、最善の成果、最高の答えなのです。

どこまで、最善、最高、等身大の自己ベストを増やせるか、ここからチャレンジしましょう。

そして、最後は、どんな自分でも、自分にとってベストの答えとして、無条件で受け容れることです。どんなときも、「わたしを肯定する」こと。肯定することに、根拠はいりません。

「負けた」という思いから自由になる

「勝ちたい」と思う気持ちが強いほど、負けたときの敗北感、心の痛みは激しくなります。いつまで経っても、落胆、失望、負い目、挫折感から自由になれない人は、大勢います。

仏教では、「もともと勝ちも負けもない。そのような思いは、欲と妄想とが作り出した幻なのだ」と理解します。これは、ただの慰めではなく、自らの心を正しく理解したときに、はっきりと腑に落ちる真実です。

◆やっかいな「現在進行形」の嫉妬、「過去形」のコンプレックス

ひとつの例として、嫉妬・やっかみという感情を取り上げましょう。人が嫉妬を感じるとき、自分より恵まれている、優れている、成功している「相手」に反応しています。

「有能で評判の高い同僚が羨ましい」という感情も、「同世代の人が活躍しているのを見聞きすると、焦りを感じる」という思いも、相手に反応して生まれる嫉妬心です。

嫉妬は、目につく相手への〝現在進行形〟の感情ですが、勝敗がはっきりついた後になると、「負い目」「コンプレックス」「ルサンチマン（怨み）」といった〝過去形〟の感情に変わります。いずれにしても、嫉妬は、心を苦しめます。「正しい思考」によって、嫉妬の苦しみから抜けることにしましょう。

嫉妬という感情を、「気になる相手への執着」ととらえると、面白い理解が出てきます。執着について、あらためてブッダの言葉を振り返ってみましょう。

人は三つの執着によって苦しむ。
①求めるものを得たいという執着（だがかなわない）。
②手にしたものがいつまでも続くようにという執着（やがて必ず失われる）。
③苦痛となっている物事をなくしたいという執着である（だが思い通りにはなくならない）。

――サルナートでの五比丘への開示　サンユッタ・ニカーヤ

ということは、嫉妬には、これら三つのうち二つの執着があるとわかります。一つは、自分を認めてもらいたいという執着（①）です（でもかなわないから、苦しんでいます）。これは、承認欲から来ています。もう一つは、周りから認められている相手への「いっそ、いなくなってほしい」という執着（③）です。これは、怒りを相手に向けている状態です。つまり、嫉妬の正体は、承認欲が満たされない怒りを、相手に向けている状態。嫉妬とは、三毒にいう「怒り」の一種なのです。

この嫉妬という怒りは、実は「相手」が原因なのではありません。というのは、もし自分が同じくらい認められていれば、嫉妬に駆られることはないからです。その怒りの原因は、実は「認めてもらえない」という自分自身の承認欲の不満にあります。

ということは、本当は「相手」は関係ないのです。関係ないのに怒りをぶつけるというのは、「八つ当たり」と同じです。イライラしているから子どもを大声で叱るとか、ストレス解消のために人に嫌がらせをするといった困った行動と同じです。これでは相手がかわいそうですね。

嫉妬の根底には承認欲があります。とすれば、承認欲を満たすにはどうすればよいのか、「自分が認められるには、何をすべきだろう?」と考えることが筋であって、その不満を相手に向けるというのは、完全に思考のミスなのです。

脚下照顧——ただ自らの足元を見よ

自分が認められるために、できること、なすべきことをやろうというのは、すでにお伝えした「正しい努力」です。外の世界を見ないで、自分の内側にある「動機」や「今、自分が持っているもの(できること)」を見ることから始めます。

自分が持っているもの——性格、資質、スキル、才能、経験など——は、他人とまったく違っていることは一目瞭然です。もともと立っている場所が違うのですから、嫉妬しているその相手と同じ成果が手に入るはずはありません。また努力の方法、いわば「歩く道のり」だって、かなり違ってくるはずです。

人はつい、成果を上げている他人に目をつけて、彼らと同じ方法で、同じ成果を上げようと期待、妄想してしまいます。しかし本当は、目を閉じて、自分の内側から「独自の成果を上げる方法」を工夫していくべきです。振り回されない、ということです。

嫉妬から自由になるというのは、まずは、相手に目を向けている状態から「降りる」ことです。相手は見ない。「相手は関係ない」と考えて、怒りからも降りる。さらに、「他人と同じ成果を手に入れたい（他人と同じになりたい）」という妄想からも降りることです。

そうやって、嫉妬という感情から、まず完全に降りてしまいます。

その上で、もしまだ認められたいという気持ちがあるのなら、「では、自分に何ができるだろう？」「わたしは、今自分にできることを十分やっているだろうか？」「まだできることがあるのではないか？」と考えるようにします。

すると、自分自身の能力を高めていくこと、仕事・生活を改善していくことに心が向かうようになります。禅の世界でいう「脚下照顧《きゃっかしょうこ》」――足元を見る――という生き方です。足元を見て、できることを積み重ねる。改善を重ねていく――こういう努力は、自分の内側だけを見て、今立っている場所からスタートすればよいので、とてもラクだし、自然です。もはや嫉妬とは無縁になります。努力する自分自身の道のりを、謙虚に楽しみながら生きていけます。

「自分の役割は他にある」という可能性

　現実の世の中には、認めてもらえる人と、そうでない人とが、どうしても出てきます。大気や日の光とは違って、社会的に価値あるものは数に限りがありますから、成果が異なるのは、避けられない定めです。

　もし自分が何かを目指して頑張って、それでも成功できなかったときは、どう考えればよいのでしょうか。

　認められること――勝つこと、成功すること――に執着すれば、承認欲の不満ゆえの怒りが、ずっと続くことになります。嫉妬も、敗北感も、コンプレックスも、ルサンチマンも、こうした執着が生み出す苦しみです。

　執着してやる気が生まれるなら、やってみればよいのです。しかし、もし苦しみが生まれるようであれば、「考え方を間違えている」ということです。新しく思考を組み立て直しましょう。

　ブッダが教える〝慈しみ〟という大前提から始めるなら、「誰かの役に立とう」と考えることが基本になります。貢献すること。よきはたらきを果たすこと。〝慈しみ〟という言葉が大きすぎるとしても、「貢献することが基本」という考え方は、多くの人が納得できるのではないでしょうか。

貢献という動機に立てば、「では、この場所で自分にできる役割は何だろう？」と最初に考えることになります。そのときに、本当の〝自分にぴったり合った人生〟がスタートするのです。

私たちはこれまで、他人と同じ成功、同じ勝利を求めて、同じ発想、同じ生き方を目指してきたのではないでしょうか。もちろんそれで、今の自分に納得できているならよいのです。でも、もし少しでも、たどり着いた「今の自分」に満たされなさを感じているのなら、たぶんその考え方は「自分に合っていない」のです。執着する必要はありません。自分を否定するのではなく、考え方を変えてください。

もし、かつて自分が目指した成功や勝利を手にしている人を見かけたら、「よく頑張ったんだな」と認めてあげましょう。〝悲の心〟に立って、その人がどれだけ努力してきたかを感じ取るのです。そのとき「敬意」が生まれます。

もし、相手に嫉妬めいた感情や、負い目を感じたら、考え方をこう切り換えてください。

「わたしには、違う役割があるのだな」

究極のところ、人間の動機は「貢献」です。どんな人も、「お役に立てればよし」なのです。貢献という動機に立って、できることをして、暮らしが立って、ほんの小さな喜びや楽しい出来事が日々に見つかったら、もうそれで十分ではありませんか。

◆「この世にあって、この世に汚されない」自分

人はみな、多かれ少なかれ、挫折、失敗を体験しているものです。ですが、そうした過去を理由に、「やっぱり自分はダメな人間だ」と思い込む必要はありません。

というのは、「人によって、そもそも与えられた条件は違う」からです。

生まれ落ちた環境も、めぐり逢う人たちも、性格や、能力も、「運」のつきどころ（タイミング）も、違います。「心の反応」だって、脳が違えばまったく異なります。

内面の世界が、ことごとく違うのですから、その表れとしての言葉も行動も、人生そのものさえも、変わってきます。

人生は、根本的に、人によって違うのです。ならば、比較することは不可能です。

そうした、人によって異なる人生について、勝ち組だとか負け組だとか、優れているとか劣っているとか、相手は「持っている」のに、自分は「何かが欠けている」と考えているのは、まさに間違った「執着」「妄想」ゆえです。「いったん目を閉じて」リセットするほうが、正解です。

目を閉じれば、あなたの心を苦しめる多くの刺激を、シャットアウトできます。そのとき、「外の世界」は存在しなくなります。

その心の内側に、静けさと、安らぎとを見つけましょう。と同時に、〝自分だけの快〟を見つけていきましょう。

そうして、〝世にあって、世に苦しまない生き方〟を、生きていくのです。

道の者たちよ、たとえば青い蓮、紅の蓮、白い蓮が、水の底に生じ、
水の中で成長し、水から上に現われ出て、しかも水に汚されていないように、
道を遂げた者は、この世の中で成長し、この世のうちに生きているが、
この世に汚されないのである。

――サンユッタ・ニカーヤ

最終章　考える「基準」を持つ

「正しい心に「戻る」。何度でも」

人はつねに何かを求め、反応し、苦しみの中を生きています。もしその満たされない人生から解放され、癒しと納得を得たいのなら、今の自分とは別の〝よりどころ〟を心に持つ必要があります。

◆「人生、これでいい」という安らぎにたどり着くために

人はみな、「自分のために」一生懸命生きてきたはずです。誰一人として、自分を不幸にしよう、間違いを犯そうと考えて、生きてきたわけではありませんよね。

しかし、ふと気づいてみると、いつまで経っても「これでいい」という安らぎや納得にたどり着けません。心はいつも「まだ何かが足りない」という思いに駆られています。心

はなぜか、いつも渇いています。

そもそも心は、いつもさまようもの、満たされないもの。その性質を最初に見抜いたのは、ブッダでした。


すべては燃えている。見るものは、燃えている。見る心は、燃えている。

貪欲という炎を、怒りという炎を、妄想という炎を上げて、燃えている。

心は、苦悩、衰え、喪失、憂いや悲しみ、痛みや煩悶という炎を上げて、燃えている。

——象頭山での法話　サンユッタ・ニカーヤ

「燃えている」とは、いわば「反応している」ということ。欲と、怒りと、妄想とで、心は反応して燃えている。その燃える心ゆえに、人間はいつまでも、もがき苦しんでいる——ブッダはそう語ります。

たしかに、心が反応しつづけるかぎり、この満たされなさ・苦悩は、続くことでしょう。

この心の渇き、憤懣《ふんまん》、落ち込み、漠然とした不安、自分を受け容れられない心、生きることのつらさは、もはや〝新しい心〟を持たないかぎり、癒されることはないだろう——

私たちは、そう気づくべきなのかもしれません。
だからこそ、心にたしかな〝よりどころ〟を持つべきなのです。

◆たしかな〝よりどころ〟を持つ——ダンマ

〝よりどころ〟とは、心の支え、心の土台となる考え方のことです。「反応しつづける心」とは別の、むしろ心の一歩手前に置くべき、たしかな生き方・考え方のことです。

仏教では、人間が目指すべき正しい生き方のことを〝ダンマ〟と呼びます。法、真理、真実とも表現されています。

「わたしは、ダンマに基づいて生きて参ります」Dhammaṃ《ダンマン》 saraṇaṃ《サラナム》 gacchāmi《ガッチャーミ》

これは、仏教徒が宣誓する「三帰依文《さんきえもん》」と呼ばれる誓いの一節です。「帰依する」とは、「〜に基づいて生きる」ということ。仏《ブッダ》・法《ダンマ》・僧《サンガ》（ブッダの教えを実践する者たちの集団）の三つに基づいて生きるという誓いです。

これは一見、宗教的な儀礼文のように聞こえますが、事の本質は、もっと深いところにあります。つまり「帰依する」（〜に基づいて生きる）ことの本質は、**「自らの心の土台に**

〝正しい生き方〟をすえます」という、自らへの約束・誓いなのです。

今、私たちの心に〝正しい生き方〟は据《す》わっているでしょうか。

〝正しい生き方〟とは、たとえば、

①反応せずに、正しく理解すること——仏教では、これを〝正見《しょうけん》〟と表現します。

②三毒などの悪い反応を浄化すること（心をきれいに保つこと）——伝統的には、〝清《しょう》浄行《じょうぎょう》〟と呼ばれます。

③人々・生命の幸せを願うこと——慈・悲・喜・捨の心で向き合うことです。

こうした生き方は、宗教としての「仏教」を超えています。この世界に生きるすべての人間にとって、かけがえのない心がけ、普遍的な正しい生き方なのです。信じる必要はない。すがりつくことでもない。「つい反応してしまう自分」の一歩手前に置くべき「心の土台」、よりどころなのです。

人は心に〝よりどころ〟を持つことで、はじめて、さまよえる人生を抜け出せます。

河の中にあって足場を得なければ、人は流されてしまう。

足場を得てそこに立てば、もはや流されることがない。

――長者スダッタの園にて　サンユッタ・ニカーヤ

「まず自分を頼れ」――ちょっと厳しいブッダの教え

多くの人は〝よりどころ〟を、心の内側ではなく、世俗の世界に求めます。たとえば、おカネ、モノ、快適な暮らし、世間に賞賛されそうな地位や職業や学歴といった記号です。自分が幸せになるための答えは「世の中」にある、だから頑張って、社会で価値ありとされているものを手に入れれば、きっと満足できる、と信じています。

ですが、その〝求める心〟が過去に何をもたらしてきたかといえば、「自分には何かが足りない」という心の渇きでした。というのは、人間にはもともと、欲と怒りと妄想がありとす。他方、世界は、これら人間の煩悩をたくみに刺激し、利用することで、回っています。とすれば、この「自分」が彼《か》の「世界」に答えを求めたところで、結局、欲と怒りと妄想とで反応するだけなのです。だから人は、求めては失望し、の繰り返し――心の輪廻《りんね》――

を抜けられないのです。その真実の姿にこそ、本当は気づくべきではないでしょうか。

興味深いのは、ブッダ自身が、「自分自身」と「正しい生き方」のみをよりどころにして、他のものに決してすがるな、と伝えていたことです。現代の仏教では、「ブッダ」と「サンガ」（僧侶・長老の集団）への帰依を人々に求めますが、ブッダ自身の思考は、そうではなかったのです。

最晩年のブッダは、旅の途中、長年付き添ってきた弟子のアーナンダに、こう語りかけます。

> 汝はもう、何ものにも頼る必要はない。
> この世界でただ自らをよりどころとして、他の何ものもよりどころにしない（依存しない・執着しない）ことだ。
> 正しい生き方（ダンマ）をよりどころにして、他の移ろうもの、人間の思惑や言葉にすがらないようにせよ。
>
> ――アーナンダへの励まし　ブッダ最後の旅　マハーパリニッバーナ・スッタ

この言葉は、「何かにすがりつきたい」人にとっては、心細さを感じさせるものかもしれません。多くの人は、生き方に自信が持てないから、自分の人生には苦しみしかないから、外の世界に救いを求めるものだからです。

しかし、ブッダは、外の世界に答えはないと言います。この世界にあふれる、どのような記号も、価値観も、思想も、宗教も、みな人間の心が作り出したもの。でも、自分自身の心とは違うもの。ときにそれらに救われるように感じることがあるとしても、やはり自分自身の心の闇、苦悩は、最後は自分自身で乗り越えていくしかない。

そのためには、自分自身の心の内側に、奥底に、正しい生き方、よりどころを、確立しなければいけない――そういうメッセージです。

踏み出す、戻る、歩きつづける

あなたは今、終わりの見えない忙しさ、抜けない疲れ、虚しさ、やり場のない怒りや悲しみ、漠然とした不安や、つい自分の人生を呪ってしまう思いの中に、いるかもしれません。世界から取り残されて、ひとり孤独に息をしているように感じる日々も、あるかもしれません。

しかし、そんなときこそ、しばらく「目を閉じて」みてください。呼吸を感じてくださ い。暗がりを見つめてください。

そのとき、自分の〝心〟だけが見えますね。

その心に「正しい心がけ」を置いてみるのです。たとえば「感覚を感じ取る」という気づきの心です。力《りき》みを抜いて、ラクになって、体のふくらみ・縮みを感じ取ります。「生きとし生けるものよ、幸せであれ」と願ってみます。「みんな、いろんな思いを抱えて今を生きている」と、悲の心を向けてみます。

こうした心がけに、何度でも帰ってみるのです。つい外の現実に反応して、つらくなったときは、心の内側にある〝聖域〟に戻って、正しい思いを念じてみるのです。

そうして、少し自分を取り戻せたら、そこからまた、外の世界に向かいます。

本当の人生は、「戻っては、踏み出す」の繰り返しです。一日に何度でも、何か月でも、何年でも――**「正しい心がけに戻る」**こと。そこから再び〝生きて〟みること。

そうした心がけが、幸せへと導いてくれるのです。

いつでも〝正しい方向〟を忘れない

ブッダは、決して暗い未来を妄想しません。かといって、根拠もなく明るい未来を想像することもありません。むしろ、今できることを大切にして、「よき地平にたどり着けますように」と、明るい希望をもって願うのです。その心境はいわば、「これからの人生を信頼する」というものです。

◆ブッダも実は超ネガティブ思考だった？

よく「マイナス思考」「ネガティブ思考」と、世間ではいいますが、ブッダ本人もまた、正しい生き方に目覚めるまでは、超悲観的で、ネガティブな思いに悩まされていました。

ブッダがまだ「悟れる人」になる前の、「ゴータマ」という名の一青年だったとき、こんなことを考えました――。

宮廷暮らしの贅沢も、すこやかなこの体も、人が喜ぶこの若さも、一体どのような意味があるのだろう。肉体は病み、老い、いつか必ず死を迎える。ならば、若さも、健康も、いや生きていることそのものも、一体どんな意味があるというのだろうか？

――ゴータマ若き日の苦悩　アングッタラ・ニカーヤ

ゴータマは、王族の跡取り息子として、かなり贅沢な暮らしを送っていたと言われています。ふつうなら、悩むことはないのかもしれません。しかしゴータマもまた、多くの人間と同じように「この人生の先」を想像しました。そして、今恵まれているこの生活のすべては、やがて病と老いと死によって失われてしまうと気づくのです。「ならば、何のために生きるのか？」、それがゴータマの疑問です。

このときのゴータマの悩みを、人は二《ふた》とおりに解釈できます。一つは、「考えすぎ。悲観的すぎる」という見方と、もう一つは「さすがは、のちにブッダになるだけあって、アタマがいい。ちゃんと現実を見ている」という見方です。

私は、二つとも正しい見方だと思います。

ふつうの人間なら、「まだ手に入れていない何か」を追いかけている途中で、人生を終えます。物質的な快適さや、肉体の快楽や、勝利欲やプライドの満足といった小さな夢を追いかけて、寿命を迎えます。人によっては、「手に入れそこなった」何かに執着して、未練や後悔、ルサンチマン（怨み）を抱えて生きることもありますが、いずれにせよ〝求める心〟に殉じる人生を送ります。

しかしゴータマの場合は、「いくら手に入れても、最後は必ず失われるではないか」と考えてしまうのです。これはよくいえば「するどい洞察」ですし、悪くいえば「あまりに極端」です。

もしかしたら、宮殿暮らしにマンネリを感じていたのか、鬱気味だったのかもしれません。そういうときに「何をやっても虚しい」と感じてしまうというのは、別にめずらしくありませんよね。

ただ、ゴータマの場合は、そこからの発想が、ちょっと違っていました。「悲観するしかない現実」の中で、「新しい生き方」を探し始めるのです。

人は何かを求めて生きている。だが、求めることには、二種類あるのではないか。

つまり、間違ったものを求めることと、正しいものを求めることだ。

間違ったものを求めるというのは、老いと病と死という〝喪失〟を逃れられない人間でありながら、いつまでも老いず、病まず、死なないことを求めることではないか。

正しいものを求めるというのは、この間違いに気づいて、〝喪失〟を乗り越えた、人間的な苦悩から離れた生き方を求めることではないか。

今の私は——間違ったものを求めて生きているにすぎない。

——ゴータマ若き日の苦悩　アングッタラ・ニカーヤ

ここに、のちのブッダの教えの本質である〝正しい思考〟の一端が見えます。正しい思考の一つは、「方向性を見る」という考え方です。

一般に人は、若くいたい、健康でいたい、長生きしたい、お金持ちになりたい、キャリアや地位や学歴や評判などで、他者に賞賛されたいと願います。それは、世俗的な価値を手に入れることを「方向性」にすえた生き方です。

しかし、それらの価値は、手に入るとはかぎりません。手にしたところで、続きません。やがて失われるし、自分という存在そのものさえ、数十年もすれば、社会から忘れ去られてしまうでしょう。

なのに、いつまでも手に入れること、失わないことばかり求めて生きている——それは「間違ったものを求める人生だ」（ああ、虚しい）と、ゴータマは言うのです。

ゴータマの天才は、その先にありました。自身の生き方を疑うだけでなく、「この苦しみから離れる生き方」を探そうと考えるのです。

この「苦しみから離れる」というのは、別に「人生を降りる」とか「あきらめる」とか「社会を否定する」といった、マイナスでネガティブな方向ではありません。

「人間はみな、望むようには生きられない現実に苦しんでいる。ならば、その現実に苦しまない心の持ちようを目指そう」というのです。

目指すゴールは「最高の納得」

ゴータマは、悩みに悩んで、二九歳のとき、いったん世間を離れることを決意します。

このときの思いを、晩年こう振り返っています。

道の者たちよ、私は〝善〟を求めて出家した。

――ブッダ晩年の回想　マハーパリニッバーナ・スッタ

ここでいう〝善〟kusala《クサラ》とは、善しと思える心境、疑問や葛藤を抜けた、すっきりと晴れた心の状態を意味しています。苦悩しつづけた若き日のゴータマは、その苦しみから解き放たれた状態、これから目指すべき方向性を、〝善〟という言葉で表現したのです。さらに、原始仏典には、こんな言葉もあります。

わたしは、老いゆく心を、老いのない心へと変えよう。
苦悩する心を、静かな心へ、安らぎへ、最高の納得へと変えていこう。

――元墓守りの長老スッピヤの言葉　テーラガーター

〝最高の納得〟とは、若きゴータマが求めた〝善〟と、意味は重なります。「苦悩から自由になった心境」のことです。

人はつねに何かを追いかけます。手に入らない現実に苦しみます。失われる現実に悩みます。——しかし、そうした「現実」の中にあって、「現実」にのまれない心を持とう。苦悩を越えた「納得の境地」にたどり着こう、きっとたどり着ける、と考えるのです。

「納得」というのは、主観的なものです。私たちが、自分に「よし」と思えれば、それで上がりです。それは「思い一つ」で達成できる以上、何歳になっても、どんな状況にあっても、得ることは可能です。

「納得」を人生の方向性にすえるなら、あとは時間をかけて、近づいていけばよくなります。日々の仕事や家事も、「自身が納得できること」を基準にすれば、外の世界に振り回されることは減っていくでしょう。

もちろん、ままならない現実、わかり合えない人間は、これからも現れてくるでしょう。しかし、そういうときこそ、いたずらに反応せず、ぐっと目を閉じて、心を見つめて、「正しい心がけ」に戻りましょう。そうすれば、「納得」が残ります。

また途中でどんなにつらい思いをしようとも、その後の人生に「納得」できるように、また最初からスタートすればよいのです。

ブッダが教えるのは、現実を「変える」ことではありません。「闘う」ことでもありません。現実は続く。人生は続いていく。そうした日々の中にあって、せめて自分の中に苦しみを増やさない、「納得できる」生き方をしよう――そう考えるのです。

私たちに必要なのは、自分が「最高の納得」にたどり着くための、正しい生き方、考え方、心の使い方です。

それは、現実の世界に、この人生に、「どう向き合えばいいか？」という内面的なテーマです。その主体的な問いに立ったとき、現実を超えてゆく生き方が可能になるのです。

私は正しく思考しなかったから、自らを飾り、いつも動揺して、ふらふらとさまよい、欲望に翻弄されていた。

ブッダの巧みな導きにより、私は正しく実践し、求めてさまようた人生をようやく抜け出した。

――仏弟子ナンダの告白　テーラガーター

「自分の人生を「信頼する」」

心によりどころを持つこと。正しい方向性を見すえること。生きていく上で何よりも大切なのは、こうした〝道〟――生き方――を確立することです。

もし〝道〟に立つことができたら、人生に〝迷い〟はなくなります。

「この道を歩んでいけばいい。きっと納得にたどり着ける」と、人生を信頼できるようになります。

◆だから、どんな悩みも越えていける

人はなぜ、悩みに支配されてしまうのでしょう。思い通りにいかない現実は、たしかにあります。厄介な相手も存在するし、自分の中にも内面的な弱さはあります。でも――な

ぜそれが「苦しみ」になるのでしょうか。

それは「つい反応してしまう心」しか、持っていないからではないでしょうか。つい反応して、怒る、欲望に駆られる、よからぬ妄想を思い浮かべる。そして自分でも気づかぬうちに、さまざまな思いに「執着」して、思い悩んでいます。

「執着」の根底には、「つい反応してしまう心」があります。この心を、仏教の世界では古くから〝無明《むみょう》〟（見えていない状態）と呼んできたのです。

反応を見ること。よく気づくこと。そうしてムダな反応をせず、反応を解消できるようになれば、人は「苦しみ」から自由になれます。もちろん、生きていく上で「問題」は生じるかもしれませんが、「苦しみ」はなくなるはずです。

そうした人生を可能にするのが、ブッダの智慧――正しい理解と正しい思考――です。

本書のテーマは、そのブッダの智慧を学ぶことでした。

人間が抱える、どんな悩み・苦しみも、きっと解決できる。必要なのは、その「方法」である――それがブッダのメッセージです。

「方法」とは、心の使い方のこと。反応して苦しむのではなく、正しく理解し、苦しみの反応をリセットし、人生に最高の納得をもたらす考え方・生き方のことです。ブディズムとは、そういう生き方――道――の実践なのだと理解してください。

〝道〟に立つことができれば、あとは現実の中を生きて、ときに「正しい生き方」に戻って、また新しく踏み出すという生き方が可能になります。ときおり、わがままで弱い自分が出てきて、反応に振り回されて、また新しい悩みを抱え込んでしまったとしても、〝道〟を覚えていれば安心です。またそこからやり直せばよいのです。

　こうした生き方ができるようになれば、人生に希望が見えてきます。人は〝道〟に立ったとき、人生を信頼できるようになるのです。「大丈夫。きっとたどり着ける」と。

◆「きっと、たどり着ける」

　かつてブッダのもとに、一人の尼僧がいました。彼女は、裕福だった実家を捨てて、召使いの男と駆け落ちしましたが、のちに夫と子ども二人を一度に失うという悲惨な過去がありました。心の傷を癒そうと熱心に修行に励みましたが、どうしても過去がよみがえってきて、心を苦しめるのでした。

ある日、小川で足を洗っていたとき、水が高いところから低いほうへと流れていくのを見ました。そのときに、一つの確信が湧いたのです。

今のわたしは正しい道にいる。
水が一定の方向に流れていくように、わたしの人生も必ず苦悩から抜け出せる。
——尼僧パターチャーラーの告白　テーリーガーター

尼僧はそのまま修行を重ねて、みごとに苦しみから解放されたのです。

あなたが悩みを抱えたときに考えるべきは、正しい生き方、正しい心の使い方に帰ることです。過去や他人を恨むことではなく、これから先を悪く想像することでもない。自分を責めることでもありません。

「この生き方に間違いはない。いざというときは、この心がけに帰ろう」

そう思えることが、最高の答えです。まだそこまでたどり着いていないのなら、ぜひここから学び、試してみて、自分自身の〝よりどころ〟をつかんでください。それ以上に気高い生き方は、ありません。

戻るべき心の場所、よりどころさえ見つかったなら、あとは「時間の問題」です。今日をよく生きることだけ大切にしていれば、きっと「最高の納得」へとたどり着けることでしょう。


ああ、わたしはようやく水中から陸に上がることができた。

烈しい心に翻弄されていたわたしは、今ようやく真実の道に到達した。

——元異教徒の長老の告白　テーラガーター

人の心は、外の現実に支配されない〝幸せの聖域〟です。

あとは、その心にどんな〝思い〟を置くかだけ——ここから育てていきましょう。「最高の納得」にたどり着くために。

生きてまいりましょう。

〔著者紹介〕

草薙　龍瞬（くさなぎ　りゅうしゅん）

僧侶、興道の里代表。1969年、奈良県生まれ。中学中退後、16歳で家出・上京。放浪ののち、大検（高認）を経て東大法学部卒業。政策シンクタンクなどで働きながら「生き方」を探求しつづけ、インド仏教指導僧・佐々井秀嶺師のもとで得度出家。ミャンマー国立仏教大学、タイの僧院に留学。現在、インドで仏教徒とともに社会改善NGOと幼稚園を運営するほか、日本では宗派に属さず、実用的な仏教の「本質」を、仕事や人間関係、生き方全般にわたって伝える活動をしている。毎年夏の全国行脚や、経典の現代語訳の朗読と法話を採り入れた葬儀・法事を行うなど、「もっと人の幸福に役立つ合理的な仏教」を展開中。著書に『これも修行のうち。　実践！あらゆる悩みに「反応しない」生活』（KADOKAWA）、『大丈夫、あのブッダも家族に悩んだ』（海竜社）がある。

著者ブログ　http://genuinedhammaintl.blogspot.jp/
問い合わせ　koudounosato@gmail.com

反応しない練習　（検印省略）

2015年 7 月 27 日　第 1 刷発行
2020年 10 月 30 日　第35刷発行

著　者　草薙　龍瞬（くさなぎ　りゅうしゅん）
発行者　青柳　昌行

発　行　株式会社KADOKAWA
〒102-8177　東京都千代田区富士見2-13-3
電話0570-002-301（ナビダイヤル）

●お問い合わせ
https://www.kadokawa.co.jp/（「お問い合わせ」へお進みください）
※内容によっては、お答えできない場合があります。
※サポートは日本国内のみとさせていただきます。
※Japanese text only

定価はカバーに表示してあります。

DTP／ニッタプリントサービス　印刷／暁印刷　製本／本間製本

ISBN978-4-04-103040-0　C0030